Lessing | Emilia Galotti

Reclam XL | Text und Kontext

Dieses Buch wurde klimaneutral gedruckt.

Alle CO_2-Emissionen, die beim Druckprozess unvermeidbar entstanden sind, haben wir durch ein Klimaschutzprojekt ausgeglichen.

Nähere Informationen finden Sie hier:

Gotthold Ephraim Lessing
Emilia Galotti

Ein Trauerspiel in fünf Aufzügen

Herausgegeben von Thorsten Krause

Reclam

Der Text dieser Ausgabe ist seiten- und zeilengleich mit der Ausgabe der Universal-Bibliothek Nr. 45. Er wurde auf der Grundlage der gültigen amtlichen Rechtschreibregeln orthographisch behutsam modernisiert.

Zu diesem Text gibt es eine Interpretationshilfe:
Gotthold Ephraim Lessing, *Emilia Galotti.*
Lektüreschlüssel XL (Nr. 15449)

E-Book-Ausgaben finden Sie auf unserer Website unter www.reclam.de/e-book

Reclam XL | Text und Kontext | Nr. 16112
2014, 2021 Philipp Reclam jun. Verlag GmbH,
Siemensstraße 32, 71254 Ditzingen
Durchgesehene Ausgabe 2021
Druck und Bindung: Eberl & Koesel GmbH & Co. KG,
Am Buchweg 1, 87452 Altusried-Krugzell
Printed in Germany 2021
RECLAM ist eine eingetragene Marke
der Philipp Reclam jun. GmbH & Co. KG, Stuttgart
ISBN 978-3-15-016112-8

Auch als E-Book erhältlich

www.reclam.de

Die Reihe bietet neben dem Text Worterläuterungen in Form von Fußnoten und Sacherläuterungen in Form von Anmerkungen im Anhang, auf die am Rand mit Pfeilen (↗) verwiesen wird. Quellen im Anhang werden mit dem Zeichen Q kenntlich gemacht.

Inhalt

Emilia Galotti. Ein Trauerspiel in fünf Aufzügen 3

Anhang

1. Zur Textgestalt 91
2. Anmerkungen 92
3. Leben und Zeit 97
   3.1 Selbstäußerungen Lessings 97
   3.2 Zeittafel 99
   3.3 Leben als Schriftsteller 103
4. Entstehungsgeschichte 108
   4.1 Die Legende um Virginia 108
   4.2 Lessings Umsetzung des Virginia-Stoffes 115
   4.3 Lessings Überlegungen zum Trauerspiel 122
5. Historische Kontexte 131
   5.1 Höfische Gesellschaft 131
   5.2 Familie 137
6. Rezeption 143
7. Literaturhinweise 156

Personen

↗

EMILIA GALOTTI
ODOARDO und CLAUDIA } GALOTTI, Eltern der Emilia
HETTORE GONZAGA, Prinz von Guastalla
MARINELLI, Kammerherr des Prinzen
CAMILLO ROTA, einer von des Prinzen Räten
CONTI, Maler
GRAF APPIANI
GRÄFIN ORSINA
ANGELO und einige Bediente

Erster Aufzug

Die Szene: ein Kabinett des Prinzen. ↗

Erster Auftritt

DER PRINZ *an einem Arbeitstische, voller Briefschaften und*
5 *Papiere, deren einige er durchläuft.*

Klagen, nichts als Klagen! Bittschriften, nichts als Bittschriften! – Die traurigen Geschäfte; und man beneidet uns noch! – Das glaub ich; wenn wir allen helfen könnten: dann wären wir zu beneiden. – Emilia? *(Indem er noch eine*
10 *von den Bittschriften aufschlägt, und nach dem unterschriebenen Namen sieht.)* Eine Emilia? – Aber eine Emilia Bruneschi – nicht Galotti. Nicht Emilia Galotti! – Was will sie, diese Emilia Bruneschi? *(Er lieset.)* Viel gefodert; sehr viel. ↗ – Doch sie heißt Emilia. Gewährt! *(Er unterschreibt und*
15 *klingelt; worauf ein Kammerdiener hereintritt.)* Es ist wohl noch keiner von den Räten in dem Vorzimmer?

DER KAMMERDIENER. Nein.

DER PRINZ. Ich habe zu früh Tag gemacht. – Der Morgen ist so schön. Ich will ausfahren. Marchese Marinelli soll mich
20 begleiten. Lasst ihn rufen. *(Der Kammerdiener geht ab.)* – Ich kann doch nicht mehr arbeiten. – Ich war so ruhig, bild ich mir ein, so ruhig – Auf einmal muss eine arme Bruneschi, Emilia heißen: – weg ist meine Ruhe, und alles! –

25 DER KAMMERDIENER *(welcher wieder hereintritt).* Nach dem Marchese ist geschickt. Und hier, ein Brief von der Gräfin Orsina.

DER PRINZ. Der Orsina? Legt ihn hin.

DER KAMMERDIENER. Ihr Läufer wartet.

30 DER PRINZ. Ich will die Antwort senden; wenn es einer bedarf. – Wo ist sie? In der Stadt? oder auf ihrer Villa?

DER KAMMERDIENER. Sie ist gestern in die Stadt gekommen.

2 **Kabinett:** kleiner Raum, Nebenzimmer; hier: Arbeitsraum | 5 **durchläuft:** überfliegt | 13 **gefodert:** gefordert | 15 **Kammerdiener:** hochgestellte Position bei Hofe | 19 **Marchese:** ital. Adelstitel | 26 **geschickt:** ist geschickt worden; man hat ihn rufen lassen | 29 **Läufer:** laufender Bote

DER PRINZ. Desto schlimmer – besser; wollt ich sagen. So braucht der Läufer umso weniger zu warten. *(Der Kammerdiener geht ab.)* Meine teure Gräfin! *(Bitter, indem er den Brief in die Hand nimmt.)* So gut, als gelesen! *(Und ihn wieder wegwirft.)* – Nun ja; ich habe sie zu lieben geglaubt! Was glaubt man nicht alles? Kann sein, ich habe sie auch wirklich geliebt. Aber – ich habe! 5

DER KAMMERDIENER *(der nochmals hereintritt).* Der Maler Conti will die Gnade haben – –

DER PRINZ. Conti? Recht wohl; lasst ihn hereinkommen. – Das wird mir andere Gedanken in den Kopf bringen. – *(Steht auf.)* 10

Zweiter Auftritt

CONTI. DER PRINZ.

DER PRINZ. Guten Morgen, Conti. Wie leben Sie? Was macht die Kunst? 15

CONTI. Prinz, die Kunst geht nach Brot.

DER PRINZ. Das muss sie nicht; das soll sie nicht, – in meinem kleinen Gebiete gewiss nicht. – Aber der Künstler muss auch arbeiten wollen. 20

CONTI. Arbeiten? Das ist seine Lust. Nur zu viel arbeiten müssen, kann ihn um den Namen Künstler bringen.

DER PRINZ. Ich meine nicht vieles; sondern viel: ein weniges; aber mit Fleiß. – Sie kommen doch nicht leer, Conti?

CONTI. Ich bringe das Porträt, welches Sie mir befohlen haben, gnädiger Herr. Und bringe noch eines, welches Sie mir nicht befohlen: aber weil es gesehen zu werden verdient – 25

DER PRINZ. Jenes ist? – Kann ich mich doch kaum erinnern – 30

CONTI. Die Gräfin Orsina.

DER PRINZ. Wahr! – Der Auftrag ist nur ein wenig von lange her.

4 **So gut, als gelesen:** So gut wie gelesen | 9 **will die Gnade haben:** will vorgelassen werden | 17 **die Kunst geht nach Brot:** der Künstler muss zum Gelderwerb auf Bestellung arbeiten (nach Martin Luthers »Tischreden«) | 24 **leer:** mit leeren Händen

CONTI. Unsere schönen Damen sind nicht alle Tage zum Malen. Die Gräfin hat, seit drei Monaten, gerade Einmal sich entschließen können, zu sitzen.
DER PRINZ. Wo sind die Stücke?
5 CONTI. In dem Vorzimmer: ich hole sie.

Dritter Auftritt

DER PRINZ.

Ihr Bild! – mag! – Ihr Bild, ist sie doch nicht selber. – Und vielleicht find ich in dem Bilde wieder, was ich in der
10 Person nicht mehr erblicke. – Ich will es aber nicht wiederfinden. – Der beschwerliche Maler! Ich glaube gar, sie hat ihn bestochen. – Wär es auch! Wenn ihr ein anderes Bild, das mit andern Farben, auf einen andern Grund gemalet ist, – in meinem Herzen wieder Platz machen will:
15 – Wahrlich, ich glaube, ich wär es zufrieden. Als ich dort liebte, war ich immer so leicht, so fröhlich, so ausgelassen. – Nun bin ich von allem das Gegenteil. – Doch nein; nein, nein! Behäglicher, oder nicht behäglicher: ich bin so besser.

20 ## Vierter Auftritt

DER PRINZ. CONTI *mit den Gemälden, wovon er das eine verwandt gegen einen Stuhl lehnet.*

CONTI *(indem er das andere zurechtstellet).* Ich bitte, Prinz, dass Sie die Schranken unserer Kunst erwägen wollen.
25 Vieles von dem Anzüglichsten der Schönheit liegt ganz außer den Grenzen derselben. – Treten Sie so! –
DER PRINZ *(nach einer kurzen Betrachtung).* Vortrefflich, Conti; – ganz vortrefflich! – Das gilt Ihrer Kunst, Ihrem Pinsel. – Aber geschmeichelt, Conti; ganz unendlich ge-
30 schmeichelt!

3 **zu sitzen:** Modell zu sitzen | 8 **mag!:** nun gut!, es sei! (nach frz. *soit!*) | 13 **Grund:** Grundierung | 18 **Behäglicher:** Zufriedener, froher | 18 f. **ich bin so besser:** so geht es mir besser | 21 f. **verwandt:** umgedreht | 25 **Anzüglichsten:** Anziehendsten | 26 **Treten Sie so!:** Treten Sie näher!

CONTI. Das Original schien dieser Meinung nicht zu sein. Auch ist es in der Tat nicht mehr geschmeichelt, als die Kunst schmeicheln muss. Die Kunst muss malen, wie sich die plastische Natur, – wenn es eine gibt – das Bild dachte: ohne den Abfall, welchen der widerstrebende Stoff unvermeidlich macht; ohne das Verderb, mit welchem die Zeit dagegen ankämpfet. 5

DER PRINZ. Der denkende Künstler ist noch eins so viel wert. – Aber das Original, sagen Sie, fand dem ungeachtet – 10

CONTI. Verzeihen Sie, Prinz. Das Original ist eine Person, die meine Ehrerbietung fodert. Ich habe nichts Nachteiliges von ihr äußern wollen.

DER PRINZ. So viel als Ihnen beliebt! – Und was sagte das Original? 15

CONTI. Ich bin zufrieden, sagte die Gräfin, wenn ich nicht hässlicher aussehe.

DER PRINZ. Nicht hässlicher? – O das wahre Original!

CONTI. Und mit einer Miene sagte sie das, – von der freilich dieses ihr Bild keine Spur, keinen Verdacht zeiget. 20

DER PRINZ. Das meint ich ja; das ist es eben, worin ich die unendliche Schmeichelei finde. – O! ich kenne sie, jene stolze höhnische Miene, die auch das Gesicht einer Grazie entstellen würde! – Ich leugne nicht, dass ein schöner Mund, der sich ein wenig spöttisch verziehet, nicht selten um so viel schöner ist. Aber, wohlgemerkt, ein wenig: die Verziehung muss nicht bis zur Grimasse gehen, wie bei dieser Gräfin. Und Augen müssen über den wollüstigen Spötter die Aufsicht führen, – Augen, wie sie die gute Gräfin nun gerade gar nicht hat. Auch nicht einmal hier im Bilde hat. 25 30

CONTI. Gnädiger Herr, ich bin äußerst betroffen –

DER PRINZ. Und worüber? Alles, was die Kunst aus den großen, hervorragenden, stieren, starren Medusenaugen der Gräfin Gutes machen kann, das haben Sie, Conti, redlich daraus gemacht. – Redlich, sag ich? – Nicht so redlich, wäre redlicher. Denn sagen Sie selbst, Conti, lässt 35

1 **Das Original:** das Modell des Bildes; hier: Gräfin Orsina | 4 **die plastische Natur:** die Gestalten bildende Natur | 5 **Abfall:** Zurückbleiben gegenüber dem Original bzw. der Idealvorstellung | 6 **Verderb:** Verderben | 23 f. **Grazie:** Göttin der Anmut | 34 **Medusenaugen:** hier: furchterregenden Augen; vgl. Anm. zu 8,34

sich aus diesem Bilde wohl der Charakter der Person schließen? Und das sollte doch. Stolz haben Sie in Würde, Hohn in Lächeln, Ansatz zu trübsinniger Schwärmerei in sanfte Schwermut verwandelt.

5 CONTI *(etwas ärgerlich).* Ah, mein Prinz, – wir Maler rechnen darauf, dass das fertige Bild den Liebhaber noch ebenso warm findet, als warm er es bestellte. Wir malen mit Augen der Liebe: und Augen der Liebe müssten uns auch nur beurteilen.

10 DER PRINZ. Je nun, Conti; – warum kamen Sie nicht einen Monat früher damit? – Setzen Sie weg. – Was ist das andere Stück?

CONTI *(indem er es holt, und noch verkehrt in der Hand hält).* Auch ein weibliches Porträt.

15 DER PRINZ. So möcht ich es bald – lieber gar nicht sehen. Denn dem Ideal hier, *(mit dem Finger auf die Stirne)* – oder vielmehr hier, *(mit dem Finger auf das Herz)* kömmt es doch nicht bei. – Ich wünschte, Conti, Ihre Kunst in andern Vorwürfen zu bewundern.

20 CONTI. Eine bewundernswürdigere Kunst gibt es; aber sicherlich keinen bewundernswürdigern Gegenstand, als diesen.

DER PRINZ. So wett ich, Conti, dass es des Künstlers eigene Gebieterin ist. – *(Indem der Maler das Bild umwendet.)*
25 Was seh ich? Ihr Werk, Conti? oder das Werk meiner Phantasie? – Emilia Galotti!

CONTI. Wie, mein Prinz? Sie kennen diesen Engel?

DER PRINZ *(indem er sich zu fassen sucht, aber ohne ein Auge von dem Bilde zu verwenden).* So halb! – um sie eben wie-
30 der zu kennen. – Es ist einige Wochen her, als ich sie mit ihrer Mutter in einer Vegghia traf. – Nachher ist sie mir nur an heiligen Stätten wieder vorgekommen, – wo das Angaffen sich weniger ziemet. – Auch kenn ich ihren Vater. Er ist mein Freund nicht. Er war es, der sich meinen
35 Ansprüchen auf Sabionetta am meisten widersetzte. – Ein alter Degen; stolz und rau; sonst bieder und gut! –

CONTI. Der Vater! Aber hier haben wir seine Tochter. –

7 **warm:** begeistert | 11 **Setzen Sie weg:** Stellen Sie (das Bild) weg | 16–18 **dem Ideal … kömmt … bei:** an das Ideal kommt es nicht heran | 19 **Vorwürfen:** Motiven | 24 **Gebieterin:** Geliebte | 31 **Vegghia:** (ital.) Abendgesellschaft | 32 **vorgekommen:** begegnet | 33 **Angaffen:** Anstarren | 33 **sich … ziemet:** sich gehört | 36 **Degen:** hier: Kämpfer

DER PRINZ. Bei Gott! wie aus dem Spiegel gestohlen! *(Noch immer die Augen auf das Bild geheftet.)* O, Sie wissen es ja wohl, Conti, dass man den Künstler dann erst recht lobt, wenn man über sein Werk sein Lob vergisst.

CONTI. Gleichwohl hat mich dieses noch sehr unzufrieden mit mir gelassen. – Und doch bin ich wiederum sehr zufrieden mit meiner Unzufriedenheit mit mir selbst. – Ha! dass wir nicht unmittelbar mit den Augen malen! Auf dem langen Wege, aus dem Auge durch den Arm in den Pinsel, wie viel geht da verloren! – Aber, wie ich sage, dass ich es weiß, was hier verloren gegangen, und wie es verloren gegangen, und warum es verloren gehen müssen: darauf bin ich ebenso stolz, und stolzer, als ich auf alles das bin, was ich nicht verloren gehen lassen. Denn aus jenem erkenne ich, mehr als aus diesem, dass ich wirklich ein großer Maler bin; dass es aber meine Hand nur nicht immer ist. – Oder meinen Sie, Prinz, dass Raphael nicht das größte malerische Genie gewesen wäre, wenn er unglücklicherweise ohne Hände wäre geboren worden? Meinen Sie, Prinz?

DER PRINZ *(indem er nur eben von dem Bilde wegblickt).* Was sagen Sie, Conti? Was wollen Sie wissen?

CONTI. O nichts, nichts! – Plauderei! Ihre Seele, merk ich, war ganz in Ihren Augen. Ich liebe solche Seelen, und solche Augen.

DER PRINZ *(mit einer erzwungenen Kälte).* Also, Conti, rechnen Sie doch wirklich Emilia Galotti mit zu den vorzüglichsten Schönheiten unserer Stadt?

CONTI. Also? mit? mit zu den vorzüglichsten? und den vorzüglichsten unserer Stadt? – Sie spotten meiner, Prinz. Oder Sie sahen, die ganze Zeit, ebenso wenig, als Sie hörten.

DER PRINZ. Lieber Conti, – *(die Augen wieder auf das Bild gerichtet)* wie darf unsereiner seinen Augen trauen? Eigentlich weiß doch nur allein ein Maler von der Schönheit zu urteilen.

12 **verloren gehen müssen:** hat verloren gehen müssen | 17 **Raphael:** Raffaello Santi (1483–1520), ital. Maler und Baumeister der Renaissance

CONTI. Und eines jeden Empfindung sollte erst auf den Ausspruch eines Malers warten? – Ins Kloster mit dem, der es von uns lernen will, was schön ist! Aber das muss ich Ihnen doch als Maler sagen, mein Prinz: eine von den größten Glückseligkeiten meines Lebens ist es, dass Emilia Galotti mir gesessen. Dieser Kopf, dieses Antlitz, diese Stirn, diese Augen, diese Nase, dieser Mund, dieses Kinn, dieser Hals, diese Brust, dieser Wuchs, dieser ganze Bau, sind, von der Zeit an, mein einziges Studium der weiblichen Schönheit. – Die Schilderei selbst, wovor sie gesessen, hat ihr abwesender Vater bekommen. Aber diese Kopie –

DER PRINZ *(der sich schnell gegen ihn kehret).* Nun, Conti? ist doch nicht schon versagt?

CONTI. Ist für Sie, Prinz; wenn Sie Geschmack daran finden.

DER PRINZ. Geschmack! – *(Lächelnd.)* Dieses Ihr Studium der weiblichen Schönheit, Conti, wie könnt ich besser tun, als es auch zu dem meinigen zu machen? – Dort, jenes Porträt nehmen Sie nur wieder mit, – einen Rahmen darum zu bestellen.

CONTI. Wohl!

DER PRINZ. So schön, so reich, als ihn der Schnitzer nur machen kann. Es soll in der Galerie aufgestellet werden. – Aber dieses bleibt hier. Mit einem Studio macht man so viel Umstände nicht: auch lässt man das nicht aufhängen; sondern hat es gern bei der Hand. – Ich danke Ihnen, Conti; ich danke Ihnen recht sehr. – Und wie gesagt: in meinem Gebiete soll die Kunst nicht nach Brot gehen; – bis ich selbst keines habe. – Schicken Sie, Conti, zu meinem Schatzmeister, und lassen Sie, auf Ihre Quittung, für beide Porträte sich bezahlen, – was Sie wollen. So viel Sie wollen, Conti.

CONTI. Sollte ich doch nun bald fürchten, Prinz, dass Sie so, noch etwas anders belohnen wollen, als die Kunst.

DER PRINZ. O des eifersüchtigen Künstlers! Nicht doch! – Hören Sie, Conti; so viel Sie wollen. *(Conti geht ab.)*

6 **mir gesessen:** mir Modell gesessen | 10 **Die Schilderei:** Das Gemälde | 10 **wovor:** für die | 13 **gegen ihn kehret:** ihm zuwendet | 14 **versagt:** vergeben | 20 **darum:** dafür | 22 **Schnitzer:** Handwerker, der aus Holz kunstvolle Bilderrahmen fertigt | 24 **Studio:** Übungsstück, Studienobjekt | 31 **Porträte:** Porträts | 35 **O des eifersüchtigen Künstlers!:** Oh, der eifersüchtige Künstler!; alter Genitiv

Fünfter Auftritt

DER PRINZ.

So viel er will! – *(Gegen das Bild.)* Dich hab ich für jeden Preis noch zu wohlfeil. – Ah! schönes Werk der Kunst, ist es wahr, dass ich dich besitze? – Wer dich auch besäße, schönres Meisterstück der Natur! – Was Sie dafür wollen, ehrliche Mutter! Was du willst, alter Murrkopf! Fodre nur! Fodert nur! – Am liebsten kauft' ich dich, Zauberin, von dir selbst! – Dieses Auge voll Liebreiz und Bescheidenheit! Dieser Mund! und wenn er sich zum Reden öffnet! wenn er lächelt! Dieser Mund! – Ich höre kommen. – Noch bin ich mit dir zu neidisch. *(Indem er das Bild gegen die Wand drehet.)* Es wird Marinelli sein. Hätt ich ihn doch nicht rufen lassen! Was für einen Morgen könnt ich haben!

Sechster Auftritt

MARINELLI. DER PRINZ.

MARINELLI. Gnädiger Herr, Sie werden verzeihen. – Ich war mir eines so frühen Befehls nicht gewärtig.

DER PRINZ. Ich bekam Lust, auszufahren. Der Morgen war so schön. – Aber nun ist er ja wohl verstrichen; und die Lust ist mir vergangen. – *(Nach einem kurzen Stillschweigen.)* Was haben wir Neues, Marinelli?

MARINELLI. Nichts von Belang, das ich wüsste. – Die Gräfin Orsina ist gestern zur Stadt gekommen.

DER PRINZ. Hier liegt auch schon ihr guter Morgen, *(auf ihren Brief zeigend)* oder was es sonst sein mag! Ich bin gar nicht neugierig darauf. – Sie haben sie gesprochen?

MARINELLI. Bin ich, leider, nicht ihr Vertrauter? – Aber, wenn ich es wieder von einer Dame werde, der es einkömmt, Sie in gutem Ernste zu lieben, Prinz: so – –

DER PRINZ. Nichts verschworen, Marinelli!

3 Gegen das Bild: Dem Bild zugewandt | **4 wohlfeil:** günstig, billig | **7 Fodre:** Fordere | **18 f. war … gewärtig:** nicht bewusst | **26 guter Morgen:** hier: Gruß | **30 f. einkömmt:** einfällt | **31 in gutem Ernste:** in vollem Ernst

MARINELLI. Ja? In der Tat, Prinz? Könnt es doch kommen? – O! so mag die Gräfin auch so Unrecht nicht haben.

DER PRINZ. Allerdings, sehr Unrecht! – Meine nahe Vermählung mit der Prinzessin von Massa, will durchaus, dass ich alle dergleichen Händel fürs Erste abbreche.

MARINELLI. Wenn es nur das wäre: so müsste freilich Orsina sich in ihr Schicksal ebenso wohl zu finden wissen, als der Prinz in seines.

DER PRINZ. Das unstreitig härter ist, als ihres. Mein Herz wird das Opfer eines elenden Staatsinteresse. Ihres darf sie nur zurücknehmen: aber nicht wider Willen verschenken.

MARINELLI. Zurücknehmen? Warum zurücknehmen? fragt die Gräfin: wenn es weiter nichts, als eine Gemahlin ist, die dem Prinzen nicht die Liebe, sondern die Politik zuführet? Neben so einer Gemahlin sieht die Geliebte noch immer ihren Platz. Nicht so einer Gemahlin fürchtet sie aufgeopfert zu sein, sondern – –

DER PRINZ. Einer neuen Geliebten. – Nun denn? Wollten Sie mir daraus ein Verbrechen machen, Marinelli?

MARINELLI. Ich? – O! vermengen Sie mich ja nicht, mein Prinz, mit der Närrin, deren Wort ich führe, – aus Mitleid führe. Denn gestern, wahrlich, hat sie mich sonderbar gerühret. Sie wollte von ihrer Angelegenheit mit Ihnen gar nicht sprechen. Sie wollte sich ganz gelassen und kalt stellen. Aber mitten in dem gleichgültigsten Gespräche, entfuhr ihr eine Wendung, eine Beziehung über die andere, die ihr gefoltertes Herz verriet. Mit dem lustigsten Wesen sagte sie die melancholischsten Dinge: und wiederum die lächerlichsten Possen mit der allertraurigsten Miene. Sie hat zu den Büchern ihre Zuflucht genommen; und ich fürchte, die werden ihr den Rest geben.

DER PRINZ. So wie sie ihrem armen Verstande auch den ersten Stoß gegeben. – Aber was mich vornehmlich mit von ihr entfernt hat, das wollen Sie doch nicht brauchen, Marinelli, mich wieder zu ihr zurückzubringen? – Wenn

5 **Händel:** Tun, Treiben; hier: Liebesaffären | 10 **darf:** hier: braucht | 21 **vermengen:** verwechseln | 27 **Beziehung:** hier: Anspielung, Bemerkung | 29 **melancholischsten:** schwermütigsten | 30 **Possen:** Scherze, Unsinn

sie aus Liebe närrisch wird, so wäre sie es, früher oder später, auch ohne Liebe geworden – Und nun, genug von ihr. – Von etwas andern! – Geht denn gar nichts vor, in der Stadt? –

MARINELLI. So gut, wie gar nichts. – Denn dass die Verbindung des Grafen Appiani heute vollzogen wird, – ist nicht viel mehr, als gar nichts. 5

DER PRINZ. Des Grafen Appiani? und mit wem denn? – Ich soll ja noch hören, dass er versprochen ist.

MARINELLI. Die Sache ist sehr geheim gehalten worden. Auch war nicht viel Aufhebens davon zu machen. – Sie werden lachen, Prinz. – Aber so geht es den Empfindsamen! Die Liebe spielet ihnen immer die schlimmsten Streiche. Ein Mädchen ohne Vermögen und ohne Rang, hat ihn in ihre Schlinge zu ziehen gewusst, – mit ein wenig Larve: aber mit vielem Prunke von Tugend und Gefühl und Witz, – und was weiß ich? 10 15

DER PRINZ. Wer sich den Eindrücken, die Unschuld und Schönheit auf ihn machen, ohne weitere Rücksicht, so ganz überlassen darf; – ich dächte, der wäre eher zu beneiden, als zu belachen. – Und wie heißt denn die Glückliche? – Denn bei alledem ist Appiani – ich weiß wohl, dass Sie, Marinelli, ihn nicht leiden können; ebenso wenig als er Sie – bei alledem ist er doch ein sehr würdiger junger Mann, ein schöner Mann, ein reicher Mann, ein Mann voller Ehre. Ich hätte sehr gewünscht, ihn mir verbinden zu können. Ich werde noch darauf denken. 20 25

MARINELLI. Wenn es nicht zu spät ist. – Denn soviel ich höre, ist sein Plan gar nicht, bei Hofe sein Glück zu machen. – Er will mit seiner Gebieterin nach seinen Tälern von Piemont: – Gämsen zu jagen, auf den Alpen; und Murmeltiere abzurichten. – Was kann er Besseres tun? Hier ist es durch das Missbündnis, welches er trifft, mit ihm doch aus. Der Zirkel der ersten Häuser ist ihm von nun an verschlossen – – 30 35

DER PRINZ. Mit euren ersten Häusern! – in welchen das Ze-

8 f. Ich soll ja noch hören: Ich habe (bisher) noch nicht gehört | **9 versprochen:** verlobt | **16 Larve:** hier: einem hübschen Gesicht | **16 Prunke:** Zurschaustellung, Einsatz | **17 Witz:** hier: Verstand, Geist | **26 ihn mir verbinden:** ihn durch Ämter an den Hof binden | **27 darauf denken:** darüber nachdenken | **33 Missbündnis:** Mesalliance, unpassende Heirat

remoniell, der Zwang, die Langeweile, und nicht selten die Dürftigkeit herrschet. – Aber so nennen Sie mir sie doch, der er dieses so große Opfer bringt.

MARINELLI. Es ist eine gewisse Emilia Galotti.

DER PRINZ. Wie, Marinelli? eine gewisse –

MARINELLI. Emilia Galotti.

DER PRINZ. Emilia Galotti? – Nimmermehr!

MARINELLI. Zuverlässig, gnädiger Herr.

DER PRINZ. Nein, sag ich; das ist nicht, das kann nicht sein. – Sie irren sich in dem Namen. – Das Geschlecht der Galotti ist groß. – Eine Galotti kann es sein: aber nicht Emilia Galotti; nicht Emilia!

MARINELLI. Emilia – Emilia Galotti!

DER PRINZ. So gibt es noch eine, die beide Namen führt. – Sie sagten ohnedem, eine gewisse Emilia Galotti – eine gewisse. Von der rechten könnte nur ein Narr so sprechen –

MARINELLI. Sie sind außer sich, gnädiger Herr. – Kennen Sie denn diese Emilia?

DER PRINZ. Ich habe zu fragen, Marinelli, nicht Er. – Emilia Galotti? Die Tochter des Obersten Galotti, bei Sabionetta?

MARINELLI. Eben die.

DER PRINZ. Die hier in Guastalla mit ihrer Mutter wohnet?

MARINELLI. Eben die.

DER PRINZ. Unfern der Kirche Allerheiligen?

MARINELLI. Eben die.

DER PRINZ. Mit einem Worte – *(Indem er nach dem Porträte springt und es dem Marinelli in die Hand gibt.)* Da! – Diese? Diese Emilia Galotti? – Sprich dein verdammtes »Eben die« noch einmal, und stoß mir den Dolch ins Herz!

MARINELLI. Eben die.

DER PRINZ. Henker! – Diese? – Diese Emilia Galotti wird heute – –

MARINELLI. Gräfin Appiani! – *(Hier reißt der Prinz dem Marinelli das Bild wieder aus der Hand, und wirft es beiseite.)*

2 **Dürftigkeit:** Entbehrung, Mangel, Mittellosigkeit | 20 **Er:** indirekte Anredeform. Der Angesprochene wird an dieser Stelle vom Vertrauten zum direkt angesprochenen Untertan. | 24 **Guastalla:** Ort am ital. Fluss Po, nördlich von Parma

Die Trauung geschiehet in der Stille, auf dem Landgute des Vaters bei Sabionetta. Gegen Mittag fahren Mutter und Tochter, der Graf und vielleicht ein paar Freunde dahin ab.

DER PRINZ *(der sich voll Verzweiflung in einen Stuhl wirft).* So bin ich verloren! – So will ich nicht leben! 5

MARINELLI. Aber was ist Ihnen, gnädiger Herr?

DER PRINZ *(der gegen ihn wieder aufspringt).* Verräter! – was mir ist? – Nun ja ich liebe sie; ich bete sie an. Mögt ihr es doch wissen! mögt ihr es doch längst gewusst haben, alle 10 ihr, denen ich der tollen Orsina schimpfliche Fesseln lieber ewig tragen sollte! – Nur dass Sie, Marinelli, der Sie so oft mich Ihrer innigsten Freundschaft versicherten – O ein Fürst hat keinen Freund! kann keinen Freund haben! – dass Sie, Sie, so treulos, so hämisch mir bis auf diesen 15 Augenblick die Gefahr verhehlen dürfen, die meiner Liebe drohte: wenn ich Ihnen jemals das vergebe, – so werde mir meiner Sünden keine vergeben!

MARINELLI. Ich weiß kaum Worte zu finden, Prinz, – wenn Sie mich auch dazu kommen ließen – Ihnen mein Erstau- 20 nen zu bezeigen. – Sie lieben Emilia Galotti? – Schwur dann gegen Schwur: Wenn ich von dieser Liebe das Geringste gewusst, das Geringste vermutet habe; so möge weder Engel noch Heiliger von mir wissen! – Eben das wollt' ich in die Seele der Orsina schwören. Ihr Verdacht 25 schweift auf einer ganz andern Fährte.

DER PRINZ. So verzeihen Sie mir, Marinelli; – *(indem er sich ihm in die Arme wirft)* und betaueren Sie mich.

MARINELLI. Nun da, Prinz! Erkennen Sie da die Frucht Ihrer Zurückhaltung! – »Fürsten haben keinen Freund! 30 können keinen Freund haben!« – Und die Ursache, wenn dem so ist? – Weil sie keinen haben wollen. – Heute beehren sie uns mit ihrem Vertrauen, teilen uns ihre geheimsten Wünsche mit, schließen uns ihre ganze Seele auf: und morgen sind wir ihnen wieder so fremd, als hät- 35 ten sie nie ein Wort mit uns gewechselt.

11 **tollen:** hier: verrückten, wahnsinnigen | 15 **hämisch:** heimtückisch | 16 **verhehlen:** verschweigen, verbergen | 25 **in die Seele:** bei der Seele | 26 **schweift auf einer ganz andern Fährte:** geht in eine falsche Richtung | 28 **betaueren:** bedauern

DER PRINZ. Ach! Marinelli, wie konnt ich Ihnen vertrauen, was ich mir selbst kaum gestehen wollte?

MARINELLI. Und also wohl noch weniger der Urheberin Ihrer Qual gestanden haben?

5 DER PRINZ. Ihr? – Alle meine Mühe ist vergebens gewesen, sie ein zweites Mal zu sprechen. –

MARINELLI. Und das erste Mal –

DER PRINZ. Sprach ich sie – O, ich komme von Sinnen! Und ich soll Ihnen noch lange erzählen? – Sie sehen mich ei-
10 nen Raub der Wellen: was fragen Sie viel, wie ich es geworden? Retten Sie mich, wenn Sie können: und fragen Sie dann.

MARINELLI. Retten? ist da viel zu retten? – Was Sie versäumt haben, gnädiger Herr, der Emilia Galotti zu bekennen,
15 das bekennen Sie nun der Gräfin Appiani. Waren, die man aus der ersten Hand nicht haben kann, kauft man aus der zweiten: – und solche Waren nicht selten aus der zweiten um so viel wohlfeiler.

DER PRINZ. Ernsthaft, Marinelli, ernsthaft, oder –

20 MARINELLI. Freilich, auch um so viel schlechter – –

DER PRINZ. Sie werden unverschämt!

MARINELLI. Und dazu will der Graf damit aus dem Lande. – Ja, so müsste man auf etwas anders denken. –

DER PRINZ. Und auf was? – Liebster, bester Marinelli, den-
25 ken Sie für mich. Was würden Sie tun, wenn Sie an meiner Stelle wären?

MARINELLI. Vor allen Dingen, eine Kleinigkeit als eine Kleinigkeit ansehen; – und mir sagen, dass ich nicht vergebens sein wolle, was ich bin – Herr!

30 DER PRINZ. Schmeicheln Sie mir nicht mit einer Gewalt, von der ich hier keinen Gebrauch absehe. – Heute sagen Sie? schon heute?

MARINELLI. Erst heute – soll es geschehen. Und nur geschehenen Dingen ist nicht zu raten. – *(Nach einer kurzen*
35 *Überlegung.)* Wollen Sie mir freie Hand lassen, Prinz? Wollen Sie alles genehmigen, was ich tue?

1 **vertrauen:** anvertrauen | 10 **Raub der Wellen:** Bild des auf dem Meer herumtreibenden bzw. gesunkenen Schiffes; hier: von Leidenschaft erfasst | 18 **wohlfeiler:** günstiger | 23 **auf etwas anders denken:** an etwas anderes denken | 29 **Herr:** Inhaber herrschaftlicher Rechte | 31 **keinen Gebrauch absehe:** keinen Gebrauch erkenne bzw. machen kann | 34 **raten:** helfen

DER PRINZ. Alles, Marinelli, alles, was diesen Streich abwenden kann.

MARINELLI. So lassen Sie uns keine Zeit verlieren. – Aber bleiben Sie nicht in der Stadt. Fahren Sie sogleich nach Ihrem Lustschlosse, nach Dosalo. Der Weg nach Sabionetta geht da vorbei. Wenn es mir nicht gelingt, den Grafen augenblicklich zu entfernen: so denk ich – Doch, doch; ich glaube, er geht in diese Falle gewiss. Sie wollen ja, Prinz, wegen Ihrer Vermählung einen Gesandten nach Massa schicken? Lassen Sie den Grafen dieser Gesandte sein; mit dem Bedinge, dass er noch heute abreiset. – Verstehen Sie?

DER PRINZ. Vortrefflich! – Bringen Sie ihn zu mir heraus. Gehen Sie, eilen Sie. Ich werfe mich sogleich in den Wagen. *(Marinelli geht ab.)*

Siebenter Auftritt

DER PRINZ.

Sogleich! sogleich! – Wo blieb es? – *(Sich nach dem Porträte umsehend.)* Auf der Erde? das war zu arg! *(Indem er es aufhebt.)* Doch betrachten? betrachten mag ich dich fürs Erste nicht mehr. – Warum sollt ich mir den Pfeil noch tiefer in die Wunde drücken? *(Setzt es beiseite.)* – Geschmachtet, geseufzet hab ich lange genug, – länger als ich gesollt hätte: aber nichts getan! und über die zärtliche Untätigkeit bei einem Haar alles verloren! – Und wenn nun doch alles verloren wäre? Wenn Marinelli nichts ausrichtete? – Warum will ich mich auch auf ihn allein verlassen? Es fällt mir ein, – um diese Stunde, *(nach der Uhr sehend)* um diese nämliche Stunde pflegt das fromme Mädchen alle Morgen bei den Dominikanern die Messe zu hören. – Wie wenn ich sie da zu sprechen suchte? – Doch heute, heut an ihrem Hochzeittage, – heute werden ihr andere Dinge am Herzen liegen, als die Messe. – Indes,

1 diesen Streich: hier: diesen Schicksalsschlag | **11 dem Bedinge:** der Bedingung | **19 arg:** hart | **21 Pfeil:** Pfeil Amors, in der römischen Mythologie Gott der Liebe | **29 um diese nämliche Stunde:** genau um diese Zeit | **30 bei den Dominikanern:** in der Kirche des dominikanischen Mönchsordens

wer weiß? – Es ist ein Gang. – *(Er klingelt, und indem er einige von den Papieren auf dem Tische hastig zusammenrafft, tritt der Kammerdiener herein.)* Lasst vorfahren! – Ist noch keiner von den Räten da?

5 DER KAMMERDIENER. Camillo Rota.

DER PRINZ. Er soll hereinkommen. *(Der Kammerdiener geht ab.)* Nur aufhalten muss er mich nicht wollen. Dasmal nicht! – Ich stehe gern seinen Bedenklichkeiten ein andermal um so viel länger zu Diensten. – Da war ja noch die
10 Bittschrift einer Emilia Bruneschi – *(Sie suchend.)* Die ist's. – Aber, gute Bruneschi, wo deine Vorsprecherin – –

Achter Auftritt

CAMILLO ROTA, *Schriften in der Hand.* DER PRINZ.

DER PRINZ. Kommen Sie, Rota, kommen Sie. – Hier ist, was
15 ich diesen Morgen erbrochen. Nicht viel Tröstliches! – Sie werden von selbst sehen, was darauf zu verfügen. – Nehmen Sie nur.

CAMILLO ROTA. Gut, gnädiger Herr.

DER PRINZ. Noch ist hier eine Bittschrift einer Emilia Ga-
20 lot- - Bruneschi will ich sagen. – Ich habe meine Bewilligung zwar schon beigeschrieben. Aber doch – die Sache ist keine Kleinigkeit – Lassen Sie die Ausfertigung noch anstehen. – Oder auch nicht anstehen: wie Sie wollen.

CAMILLO ROTA. Nicht wie ich will, gnädiger Herr.

25 DER PRINZ. Was ist sonst? Etwas zu unterschreiben?

CAMILLO ROTA. Ein Todesurteil wäre zu unterschreiben.

DER PRINZ. Recht gern. – Nur her! geschwind.

CAMILLO ROTA *(stutzig und den Prinzen starr ansehend).* Ein Todesurteil, sagt ich.

30 DER PRINZ. Ich höre ja wohl. – Es könnte schon geschehen sein. Ich bin eilig.

CAMILLO ROTA *(seine Schriften nachsehend).* Nun hab ich es doch wohl nicht mitgenommen! – – Verzeihen Sie, gnä-

7 **Dasmal:** Diesmal | 11 **Vorsprecherin:** Fürsprecherin | 15 **erbrochen:** durch Aufbrechen des Siegels geöffnet | 16 **was darauf zu verfügen:** was darauf anzuordnen ist | 23 **anstehen:** aufschieben | 28 **stutzig:** erstaunt

diger Herr. – Es kann Anstand damit haben bis morgen.

DER PRINZ. Auch das! – Packen Sie nur zusammen: ich muss fort – Morgen, Rota, ein Mehres! *(Geht ab.)*

CAMILLO ROTA *(den Kopf schüttelnd, indem er die Papiere zu sich nimmt und abgeht).* Recht gern? – Ein Todesurteil recht gern? – Ich hätt es ihn in diesem Augenblicke nicht mögen unterschreiben lassen, und wenn es den Mörder meines einzigen Sohnes betroffen hätte. – Recht gern! recht gern! – Es geht mir durch die Seele dieses grässliche Recht gern!

1 Anstand: hier: Aufschub | **4 ein Mehres:** ein Weiteres, mehr

Zweiter Aufzug

Die Szene: ein Saal in dem Hause der Galotti.

Erster Auftritt

CLAUDIA GALOTTI. PIRRO.

5 CLAUDIA *(im Heraustreten zu Pirro, der von der andern Seite hereintritt).* Wer sprengte da in den Hof?

PIRRO. Unser Herr, gnädige Frau.

CLAUDIA. Mein Gemahl? Ist es möglich?

PIRRO. Er folgt mir auf dem Fuße.

10 CLAUDIA. So unvermutet? – *(Ihm entgegeneilend.)* Ach! mein Bester! –

Zweiter Auftritt

ODOARDO GALOTTI *und* DIE VORIGEN.

ODOARDO. Guten Morgen, meine Liebe! – Nicht wahr, das
15 heißt überraschen?

CLAUDIA. Und auf die angenehmste Art! – Wenn es anders nur eine Überraschung sein soll.

ODOARDO. Nichts weiter! Sei unbesorgt. – Das Glück des heutigen Tages weckte mich so früh; der Morgen war so
20 schön; der Weg ist so kurz; ich vermutete euch hier so geschäftig – Wie leicht vergessen sie etwas: fiel mir ein. – Mit einem Worte: ich komme, und sehe, und kehre sogleich wieder zurück. – Wo ist Emilia? Unstreitig beschäftigt mit dem Putze? –

25 CLAUDIA. Ihrer Seele! – Sie ist in der Messe. – Ich habe heute, mehr als jeden andern Tag, Gnade von oben zu erflehen, sagte sie, und ließ alles liegen, und nahm ihren Schleier, und eilte –

ODOARDO. Ganz allein?

30 CLAUDIA. Die wenigen Schritte – –

6 **sprengte:** jagte, galoppierte | 16 **Wenn es anders:** Sofern, falls es | 23 **Unstreitig:** Zweifellos | 24 **dem Putze:** dem Anlegen von Kleidern und Schmuck

ODOARDO. Einer ist genug zu einem Fehltritt! –
CLAUDIA. Zürnen Sie nicht, mein Bester; und kommen Sie herein, – einen Augenblick auszuruhen, und, wann Sie wollen, eine Erfrischung zu nehmen.
ODOARDO. Wie du meinest, Claudia. – Aber sie sollte nicht allein gegangen sein. – 5
CLAUDIA. Und Ihr, Pirro, bleibt hier in dem Vorzimmer, alle Besuche auf heute zu verbitten.

Dritter Auftritt

PIRRO *und bald darauf* ANGELO. 10

PIRRO. Die sich nur aus Neugierde melden lassen. – Was bin ich seit einer Stunde nicht alles ausgefragt worden! – Und wer kömmt da?
ANGELO *(noch halb hinter der Szene, in einem kurzen Mantel, den er über das Gesicht gezogen, den Hut in die Stirne).* 15 Pirro! – Pirro!
PIRRO. Ein Bekannter? – *(Indem Angelo vollends hereintritt, und den Mantel auseinanderschlägt.)* Himmel! Angelo? – Du?
ANGELO. Wie du siehst. – Ich bin lange genug um das Haus 20 herumgegangen, dich zu sprechen. – Auf ein Wort! –
PIRRO. Und du wagst es, wieder ans Licht zu kommen? – Du bist seit deiner letzten Mordtat vogelfrei erkläret; auf deinen Kopf steht eine Belohnung –
ANGELO. Die doch du nicht wirst verdienen wollen? – 25
PIRRO. Was willst du? Ich bitte dich, mache mich nicht unglücklich.
ANGELO. Damit etwa? *(Ihm einen Beutel mit Gelde zeigend.)* – Nimm! Es gehöret dir!
PIRRO. Mir? 30
ANGELO. Hast du vergessen? Der Deutsche, dein voriger Herr, – –
PIRRO. Schweig davon!

3 **wann:** wenn; vgl. Anm. zu 22,3 | 8 **zu verbitten:** abzuweisen | 13 **kömmt:** kommt | 23 **vogelfrei:** rechtlos; an einen für vogelfrei erklärten Menschen darf jeder ungestraft Hand anlegen, sein Leib wird den Vögeln als Aas freigegeben.

ANGELO. Den du uns, auf dem Wege nach Pisa, in die Falle führtest –

PIRRO. Wenn uns jemand hörte!

ANGELO. Hatte ja die Güte, uns auch einen kostbaren Ring
5 zu hinterlassen. – Weißt du nicht? – Er war zu kostbar, der Ring, als dass wir ihn sogleich ohne Verdacht hätten zu Gelde machen können. Endlich ist mir es damit gelungen. Ich habe hundert Pistolen dafür erhalten: und das ist dein Anteil. Nimm! ↗

10 PIRRO. Ich mag nichts, – behalt alles.

ANGELO. Meinetwegen! – wenn es dir gleichviel ist, wie hoch du deinen Kopf feil trägst – *(Als ob er den Beutel wieder einstecken wollte.)*

PIRRO. So gib nur! *(Nimmt ihn.)* – Und was nun? Denn dass
15 du bloß deswegen mich aufgesucht haben solltest – –

ANGELO. Das kömmt dir nicht so recht glaublich vor? – Halunke! Was denkst du von uns? – dass wir fähig sind, jemand seinen Verdienst vorzuenthalten? Das mag unter den sogenannten ehrlichen Leuten Mode sein: unter uns
20 nicht. – Leb wohl! – *(Tut als ob er gehen wollte, und kehrt wieder um.)* Eins muss ich doch fragen. – Da kam ja der alte Galotti so ganz allein in die Stadt gesprengt. Was will der?

PIRRO. Nichts will er: ein bloßer Spazierritt. Seine Tochter
25 wird, heut Abend, auf dem Gute, von dem er herkömmt, dem Grafen Appiani angetrauet. Er kann die Zeit nicht erwarten –

ANGELO. Und reitet bald wieder hinaus?

PIRRO. So bald, dass er dich hier trifft, wo du noch lange
30 verziehest. – Aber du hast doch keinen Anschlag auf ihn? Nimm dich in Acht. Er ist ein Mann –

ANGELO. Kenn ich ihn nicht? Hab ich nicht unter ihm gedienet? – Wenn darum bei ihm nur viel zu holen wäre! – Wenn fahren die junge Leute nach?

35 PIRRO. Gegen Mittag.

ANGELO. Mit viel Begleitung?

1 **Pisa:** Stadt in der Toskana | 11 **gleichviel:** gleichgültig | 11 f. **wie hoch … trägst:** wie teuer du deinen Kopf verkaufst | 29 f. **wo … verziehest:** wenn du noch lange verweilst | 30 **du hast:** du hast … vor | 34 **Wenn:** Wann

PIRRO. In einem einzigen Wagen: die Mutter, die Tochter und der Graf. Ein paar Freunde kommen aus Sabionetta als Zeugen.

ANGELO. Und Bediente?

PIRRO. Nur zwei; außer mir, der ich zu Pferde voraufreiten soll. 5

ANGELO. Das ist gut. – Noch eins: wessen ist die Equipage? Ist es eure? oder des Grafen?

PIRRO. Des Grafen.

ANGELO. Schlimm! Da ist noch ein Vorreiter, außer einem handfesten Kutscher. Doch! – 10

PIRRO. Ich erstaune. Aber was willst du? – Das bisschen Schmuck, das die Braut etwa haben dürfte, wird schwerlich der Mühe lohnen –

ANGELO. So lohnt ihrer die Braut selbst! 15

PIRRO. Und auch bei diesem Verbrechen soll ich dein Mitschuldiger sein?

↗ ANGELO. Du reitest vorauf. Reite doch, reite! und kehre dich an nichts!

PIRRO. Nimmermehr! 20

ANGELO. Wie? ich glaube gar, du willst den Gewissenhaften spielen. – Bursche! ich denke, du kennst mich. – Wo du plauderst! Wo sich ein einziger Umstand anders findet, als du mir ihn angegeben! –

PIRRO. Aber, Angelo, um des Himmels willen! – 25

ANGELO. Tu, was du nicht lassen kannst! *(Geht ab.)*

PIRRO. Ha! Lass dich den Teufel bei e i n e m Haare fassen; und du bist sein auf ewig! Ich Unglücklicher!

Vierter Auftritt

ODOARDO *und* CLAUDIA GALOTTI. PIRRO. 30

ODOARDO. Sie bleibt mir zu lang aus –

CLAUDIA. Noch einen Augenblick, Odoardo! Es würde sie schmerzen, deines Anblicks so zu verfehlen.

3 **Zeugen:** Trauzeugen | 5 **voraufreiten:** vorausreiten | 7 **Equipage:** (frz.) herrschaftliche Kutsche | 10 **Vorreiter:** ein Bedienter, der vorausreitet | 11 **handfesten:** kräftigen | 18 **vorauf:** voraus | 22/23 **Wo:** Wenn | 33 **deines Anblicks so zu verfehlen:** dich so zu verpassen

ODOARDO. Ich muss auch bei dem Grafen noch einsprechen. Kaum kann ich's erwarten, diesen würdigen jungen Mann meinen Sohn zu nennen. Alles entzückt mich an ihm. Und vor allem der Entschluss, in seinen väterlichen Tä-
5 lern sich selbst zu leben.

CLAUDIA. Das Herz bricht mir, wenn ich hieran gedenke. – So ganz sollen wir sie verlieren, diese einzige geliebte Tochter?

ODOARDO. Was nennst du, sie verlieren? Sie in den Armen
10 der Liebe zu wissen? Vermenge dein Vergnügen an ihr, nicht mit ihrem Glücke. – Du möchtest meinen alten Argwohn erneuern: – dass es mehr das Geräusch und die Zerstreuung der Welt, mehr die Nähe des Hofes war, als die Notwendigkeit, unserer Tochter eine anständige Er-
15 ziehung zu geben, was dich bewog, hier in der Stadt mit ihr zu bleiben; – fern von einem Manne und Vater, der euch so herzlich liebet.

CLAUDIA. Wie ungerecht, Odoardo! Aber lass mich heute nur ein Einziges für diese Stadt, für diese Nähe des Hofes
20 sprechen, die deiner strengen Tugend so verhasst sind. – ↗ Hier, nur hier konnte die Liebe zusammenbringen, was füreinander geschaffen war. Hier nur konnte der Graf Emilien finden; und fand sie.

ODOARDO. Das räum ich ein. Aber, gute Claudia, hattest du
25 darum Recht, weil dir der Ausgang Recht gibt? – Gut, dass es mit dieser Stadterziehung so abgelaufen! Lasst uns nicht weise sein wollen, wo wir nichts, als glücklich gewesen! Gut, dass es so damit abgelaufen! – Nun haben sie sich gefunden, die füreinander bestimmt waren: nun
30 lass sie ziehen, wohin Unschuld und Ruhe sie rufen. – Was sollte der Graf hier? Sich bücken, schmeicheln und kriechen, und die Marinellis auszustechen suchen? um endlich ein Glück zu machen, dessen er nicht bedarf? um endlich einer Ehre gewürdiget zu werden, die für ihn
35 keine wäre? – Pirro!

PIRRO. Hier bin ich.

1 **einsprechen:** vorsprechen, einen Besuch machen | 5 **sich selbst zu leben:** sein eigenes Leben zu leben | 25 **der Ausgang:** das Ende | 27 f. **nichts, als glücklich gewesen:** nur Glück gehabt haben | 32 **auszustechen:** ausstechen; einen Vorteil über jemanden erlangen

ODOARDO. Geh und führe mein Pferd vor das Haus des Grafen. Ich komme nach, und will mich da wieder aufsetzen. *(Pirro geht ab.)* – Warum soll der Graf hier dienen, wenn er dort selbst befehlen kann? – Dazu bedenkest du nicht, Claudia, dass durch unsere Tochter er es vollends mit dem Prinzen verderbt. Der Prinz hasst mich – 5

CLAUDIA. Vielleicht weniger, als du besorgest.

ODOARDO. Besorgest! Ich besorg auch so was!

CLAUDIA. Denn hab ich dir schon gesagt, dass der Prinz unsere Tochter gesehen hat? 10

ODOARDO. Der Prinz? Und wo das?

CLAUDIA. In der letzten Vegghia, bei dem Kanzler Grimaldi, die er mit seiner Gegenwart beehrte. Er bezeigte sich gegen sie so gnädig – –

ODOARDO. So gnädig? 15

CLAUDIA. Er unterhielt sich mit ihr so lange – –

ODOARDO. Unterhielt sich mit ihr?

CLAUDIA. Schien von ihrer Munterkeit und ihrem Witze so bezaubert – –

ODOARDO. So bezaubert? – 20

CLAUDIA. Hat von ihrer Schönheit mit so vielen Lobeserhebungen gesprochen – –

ODOARDO. Lobeserhebungen? Und das alles erzählst du mir in einem Tone der Entzückung? O Claudia! Claudia! eitle, törichte Mutter! 25

CLAUDIA. Wieso?

ODOARDO. Nun gut, nun gut! Auch das ist so abgelaufen. – Ha! wenn ich mir einbilde – Das gerade wäre der Ort, wo ich am tödlichsten zu verwunden bin! – Ein Wollüstling, der bewundert, begehrt. – Claudia! Claudia! der bloße Gedanke setzt mich in Wut. – Du hättest mir das sogleich sollen gemeldet haben. – Doch, ich möchte dir heute nicht gern etwas Unangenehmes sagen. Und ich würde, *(indem sie ihn bei der Hand ergreift)* wenn ich länger bliebe. – Drum lass mich! lass mich! – Gott befohlen, Claudia! – Kommt glücklich nach! 35

7 **besorgest:** fürchtest | 8 **Ich besorg auch so was!:** Als wenn ich so etwas fürchtete! | 14 **gnädig:** hier: entgegenkommend, freundlich | 28 **einbilde:** vorstelle | 29 **Wollüstling:** ausschweifender, lasterhafter Mensch

Fünfter Auftritt

CLAUDIA GALOTTI.

Welch ein Mann! – O, der rauen Tugend! – wenn anders sie diesen Namen verdienet. – Alles scheint ihr verdächtig, alles strafbar! – Oder, wenn das die Menschen kennen heißt: – wer sollte sich wünschen, sie zu kennen? – Wo bleibt aber auch Emilia? – Er ist des Vaters Feind: folglich – folglich, wenn er ein Auge für die Tochter hat, so ist es einzig, um ihn zu beschimpfen? –

Sechster Auftritt

EMILIA *und* CLAUDIA GALOTTI.

EMILIA *(stürzet in einer ängstlichen Verwirrung herein).* Wohl mir! wohl mir! Nun bin ich in Sicherheit. Oder ist er mir gar gefolgt? *(Indem sie den Schleier zurückwirft und ihre Mutter erblicket.)* Ist er, meine Mutter? ist er? – Nein, dem Himmel sei Dank!

CLAUDIA. Was ist dir, meine Tochter? was ist dir?

EMILIA. Nichts, nichts –

CLAUDIA. Und blickest so wild um dich? Und zitterst an jedem Gliede?

EMILIA. Was hab ich hören müssen? Und wo, wo hab ich es hören müssen?

CLAUDIA. Ich habe dich in der Kirche geglaubt –

EMILIA. Eben da! Was ist dem Laster Kirch und Altar? – Ach, meine Mutter! *(Sich ihr in die Arme werfend.)*

CLAUDIA. Rede, meine Tochter! – Mach meiner Furcht ein Ende. – Was kann dir da, an heiliger Stätte, so Schlimmes begegnet sein?

EMILIA. Nie hätte meine Andacht inniger, brünstiger sein sollen, als heute: nie ist sie weniger gewesen, was sie sein sollte. ↗

CLAUDIA. Wir sind Menschen, Emilia. Die Gabe zu beten ist

3 **wenn anders:** sofern, falls | 6 **heißt:** bedeutet | 29 **brünstiger:** inbrünstiger, hingebungsvoll; vgl. Anm. zu 27,29

nicht immer in unserer Gewalt. Dem Himmel ist beten wollen, auch beten.

EMILIA. Und sündigen wollen, auch sündigen.

CLAUDIA. Das hat meine Emilia nicht wollen!

EMILIA. Nein, meine Mutter; so tief ließ mich die Gnade nicht sinken. – Aber dass fremdes Laster uns, wider unsern Willen, zu Mitschuldigen machen kann!

CLAUDIA. Fasse dich! – Sammle deine Gedanken, soviel dir möglich. – Sag es mir mit eins, was dir geschehen.

EMILIA. Eben hatt ich mich – weiter von dem Altare, als ich sonst pflege, – denn ich kam zu spät – auf meine Knie gelassen. Eben fing ich an, mein Herz zu erheben: als dicht hinter mir etwas seinen Platz nahm. So dicht hinter mir! – Ich konnte weder vor, noch zur Seite rücken, – so gern ich auch wollte; aus Furcht, dass eines andern Andacht mich in meiner stören möchte. – Andacht! das war das Schlimmste, was ich besorgte. – Aber es währte nicht lange, so hört ich, ganz nah an meinem Ohre, – nach einem tiefen Seufzer, – nicht den Namen einer Heiligen, – den Namen, – zürnen Sie nicht, meine Mutter – den Namen Ihrer Tochter! – Meinen Namen! – O dass laute Donner mich verhindert hätten, mehr zu hören! – Es sprach von Schönheit, von Liebe – Es klagte, dass dieser Tag, welcher mein Glück mache, – wenn er es anders mache – sein Unglück auf immer entscheide. – Es beschwor mich – hören musst ich dies alles. Aber ich blickte nicht um; ich wollte tun, als ob ich es nicht hörte. – Was konnt ich sonst? – Meinen guten Engel bitten, mich mit Taubheit zu schlagen; und wann auch, wann auch auf immer! – Das bat ich; das war das Einzige, was ich beten konnte. – Endlich ward es Zeit, mich wieder zu erheben. Das heilige Amt ging zu Ende. Ich zitterte, mich umzukehren. Ich zitterte, ihn zu erblicken, der sich den Frevel erlauben dürfen. Und da ich mich umwandte, da ich ihn erblickte –

CLAUDIA. Wen, meine Tochter?

4 nicht wollen: nicht tun wollen | **9 mit eins:** auf einmal, sofort | **29 wann auch:** wenn auch | **31 ward:** wurde | **31 f. Das heilige Amt:** Die heilige Messe | **33 Frevel:** Verbrechen, schlimme Tat

EMILIA. Raten Sie, meine Mutter; raten Sie – Ich glaubte in die Erde zu sinken – Ihn selbst.
CLAUDIA. Wen, ihn selbst?
EMILIA. Den Prinzen.
5 CLAUDIA. Den Prinzen! – O gesegnet sei die Ungeduld deines Vaters, der eben hier war, und dich nicht erwarten wollte!
EMILIA. Mein Vater hier? – und wollte mich nicht erwarten?
CLAUDIA. Wenn du in deiner Verwirrung auch ihn das hät-
10 test hören lassen!
EMILIA. Nun, meine Mutter? – Was hätt er an mir Strafbares finden können?
CLAUDIA. Nichts; ebenso wenig, als an mir. Und doch, doch – Ha, du kennest deinen Vater nicht! In seinem Zorne
15 hätt er den unschuldigen Gegenstand des Verbrechens mit dem Verbrecher verwechselt. In seiner Wut hätt ich ihm geschienen, das veranlasst zu haben, was ich weder verhindern, noch vorhersehen können. – Aber weiter, meine Tochter, weiter! Als du den Prinzen erkanntest –
20 Ich will hoffen, dass du deiner mächtig genug warest, ihm in Einem Blicke alle die Verachtung zu bezeigen, die er verdienet.
EMILIA. Das war ich nicht, meine Mutter! Nach dem Blicke, mit dem ich ihn erkannte, hatt ich nicht das Herz, einen
25 zweiten auf ihn zu richten. Ich floh –
CLAUDIA. Und der Prinz dir nach –
EMILIA. Was ich nicht wusste, bis ich in der Halle mich bei der Hand ergriffen fühlte. Und von ihm! Aus Scham musst ich standhalten: mich von ihm loszuwinden, würde
30 die Vorbeigehenden zu aufmerksam auf uns gemacht haben. Das war die einzige Überlegung, deren ich fähig war – oder deren ich nun mich wieder erinnere. Er sprach; und ich hab ihm geantwortet. Aber was er sprach, was ich ihm geantwortet; – fällt mir es noch bei, so ist es gut, so
35 will ich es Ihnen sagen, meine Mutter. Jetzt weiß ich von dem allen nichts. Meine Sinne hatten mich verlassen. –

17 f. **weder verhindern, noch vorhersehen können:** weder hätte verhindern noch vorhersehen können; im 18. Jh. übliche grammatikalische Verkürzung | 27 **Halle:** Vorraum der Kirche | 29 **standhalten:** stehen bleiben | 34 **fällt mir es noch bei:** fällt es mir noch ein

Umsonst denk ich nach, wie ich von ihm weg, und aus der Halle gekommen. Ich finde mich erst auf der Straße wieder; und höre ihn hinter mir herkommen; und höre ihn mit mir zugleich in das Haus treten, mit mir die Treppe hinaufsteigen – – 5

CLAUDIA. Die Furcht hat ihren besondern Sinn, meine Tochter! – Ich werde es nie vergessen, mit welcher Gebärde du hereinstürztest. – Nein, so weit durfte er nicht wagen, dir zu folgen. – Gott! Gott! wenn dein Vater das wüsste! – Wie wild er schon war, als er nur hörte, dass der Prinz 10 dich jüngst nicht ohne Missfallen gesehen! – Indes, sei ruhig, meine Tochter! Nimm es für einen Traum, was dir begegnet ist. Auch wird es noch weniger Folgen haben, als ein Traum. Du entgehest heute mit eins allen Nachstellungen. 15

EMILIA. Aber, nicht, meine Mutter? Der Graf muss das wissen. Ihm muss ich es sagen.

CLAUDIA. Um alle Welt nicht! – Wozu? warum? Willst du für nichts, und wieder für nichts ihn unruhig machen? Und wann er es auch itzt nicht würde: wisse, mein Kind, 20 dass ein Gift, welches nicht gleich wirket, darum kein minder gefährliches Gift ist. Was auf den Liebhaber keinen Eindruck macht, kann ihn auf den Gemahl machen. Den Liebhaber könnt es sogar schmeicheln, einem so wichtigen Mitbewerber den Rang abzulaufen. Aber wenn 25 er ihm den nun einmal abgelaufen hat: ah! mein Kind, – so wird aus dem Liebhaber oft ein ganz anderes Geschöpf. Dein gutes Gestirn behüte dich vor dieser Erfahrung.

EMILIA. Sie wissen, meine Mutter, wie gern ich Ihren bes- 30 sern Einsichten mich in allem unterwerfe. – Aber, wenn er es von einem andern erführe, dass der Prinz mich heute gesprochen? Würde mein Verschweigen nicht, früh oder spät, seine Unruhe vermehren? – Ich dächte doch, ich behielte lieber vor ihm nichts auf dem Herzen. 35

CLAUDIA. Schwachheit! verliebte Schwachheit! – Nein,

6 **Sinn:** eine Art sechster Sinn | 11 **nicht ohne Missfallen:** mit Wohlgefallen | 14 **mit eins:** für immer | 20 **itzt:** jetzt | 28 **Dein gutes Gestirn:** Dein guter Stern, dein gutes Schicksal | 33 f. **früh oder spät:** früher oder später

durchaus nicht, meine Tochter! Sag ihm nichts. Lass ihn nichts merken!

EMILIA. Nun ja, meine Mutter! Ich habe keinen Willen gegen den Ihrigen. – Aha! *(Mit einem tiefen Atemzuge.)* Auch wird mir wieder ganz leicht. – Was für ein albernes, furchtsames Ding ich bin! – Nicht, meine Mutter? – Ich hätte mich noch wohl anders dabei nehmen können, und würde mir ebenso wenig vergeben haben.

CLAUDIA. Ich wollte dir das nicht sagen, meine Tochter, bevor dir es dein eigner gesunder Verstand sagte. Und ich wusste, er würde dir es sagen, sobald du wieder zu dir selbst gekommen. – Der Prinz ist galant. Du bist die unbedeutende Sprache der Galanterie zu wenig gewohnt. Eine Höflichkeit wird in ihr zur Empfindung; eine Schmeichelei zur Beteurung; ein Einfall zum Wunsche; ein Wunsch zum Vorsatze. Nichts klingt in dieser Sprache wie Alles: und Alles ist in ihr so viel als Nichts.

EMILIA. O meine Mutter! – so müsste ich mir mit meiner Furcht vollends lächerlich vorkommen! – Nun soll er gewiss nichts davon erfahren, mein guter Appiani! Er könnte mich leicht für mehr eitel, als tugendhaft, halten. – Hui! dass er da selbst kömmt! Es ist sein Gang.

Siebenter Auftritt

GRAF APPIANI. DIE VORIGEN.

APPIANI *(tritt tiefsinnig, mit vor sich hin geschlagenen Augen herein, und kömmt näher, ohne sie zu erblicken; bis Emilia ihm entgegenspringt).* Ah, meine Teuerste! – Ich war mir Sie in dem Vorzimmer nicht vermutend.

EMILIA. Ich wünschte Sie heiter, Herr Graf, auch wo Sie mich nicht vermuten. – So feierlich? so ernsthaft? – Ist dieser Tag keiner freudigern Aufwallung wert?

APPIANI. Er ist mehr wert, als mein ganzes Leben. Aber schwanger mit so viel Glückseligkeit für mich, – mag es

3 f. **Ich habe ... Ihrigen:** Ich beuge mich Ihrem Willen | 7 **nehmen:** benehmen | 13 **Galanterie:** Höflichkeit (Verhalten am Hofe), besonders gegenüber Frauen | 25 **mit vor sich hin geschlagenen Augen:** mit gesenktem Blick | 31 **Aufwallung:** heftige Gemütsbewegung | 33 **schwanger:** hier: in sich bergend, erfüllt

wohl diese Glückseligkeit selbst sein, die mich so ernst, die mich, wie Sie es nennen, mein Fräulein, so feierlich macht. – *(Indem er die Mutter erblickt.)* Ha! auch Sie hier, meine gnädige Frau! – nun bald mir mit einem innigern Namen zu verehrende! 5

CLAUDIA. Der mein größter Stolz sein wird! – Wie glücklich bist du, meine Emilia! – Warum hat dein Vater unsere Entzückung nicht teilen wollen?

APPIANI. Eben habe ich mich aus seinen Armen gerissen: – oder vielmehr er, sich aus meinen. – Welch ein Mann, 10 meine Emilia, Ihr Vater! Das Muster aller männlichen Tugend! Zu was für Gesinnungen erhebt sich meine Seele in seiner Gegenwart! Nie ist mein Entschluss immer gut, immer edel zu sein, lebendiger, als wenn ich ihn sehe – wenn ich ihn mir denke. Und womit sonst, als mit der 15 Erfüllung dieses Entschlusses kann ich mich der Ehre würdig machen, sein Sohn zu heißen; – der Ihrige zu sein, meine Emilia?

EMILIA. Und er wollte mich nicht erwarten!

APPIANI. Ich urteile, weil ihn seine Emilia, für diesen augen- 20 blicklichen Besuch, zu sehr erschüttert, zu sehr sich seiner ganzen Seele bemächtiget hätte.

CLAUDIA. Er glaubte dich mit deinem Brautschmucke beschäftiget zu finden: und hörte –

APPIANI. Was ich mit der zärtlichsten Bewunderung wieder 25 von ihm gehört habe. – So recht, meine Emilia! Ich werde eine fromme Frau an Ihnen haben; und die nicht stolz auf ihre Frömmigkeit ist.

CLAUDIA. Aber, meine Kinder, eines tun, und das andere nicht lassen! – Nun ist es hohe Zeit; nun mach, Emilia! 30

APPIANI. Was? meine gnädige Frau.

CLAUDIA. Sie wollen sie doch nicht so, Herr Graf, so wie sie da ist, zum Altare führen?

APPIANI. Wahrlich, das werd ich nun erst gewahr. – Wer kann Sie sehen, Emilia, und auch auf Ihren Putz achten? 35 – Und warum nicht so, so wie sie da ist?

4 f. **innigern Namen:** als Mutter bzw. Schwiegermutter | 12 **Tugend:** vgl. Anm. zu 25,20 | 15 **wenn ich ihn mir denke:** wenn ich ihn mir vorstelle | 20 **urteile:** denke, meine | 30 **hohe Zeit:** höchste Zeit | 34 **das werd ich nun erst gewahr:** das bemerke ich erst jetzt | 35 **Putz:** Kleider und Schmuck

EMILIA. Nein, mein lieber Graf, nicht so; nicht ganz so. Aber auch nicht viel prächtiger; nicht viel. – Husch, husch, und ich bin fertig! – Nichts, gar nichts von dem Geschmeide, dem letzten Geschenke Ihrer verschwende-
5 rischen Großmut! Nichts, gar nichts, was sich nur zu solchem Geschmeide schickte! – Ich könnte ihm gram sein, diesem Geschmeide, wenn es nicht von Ihnen wäre. – Denn dreimal hat mir von ihm geträumet –

CLAUDIA. Nun! davon weiß ich ja nichts.

10 EMILIA. Als ob ich es trüge, und als ob plötzlich sich jeder Stein desselben in eine Perle verwandele. – Perlen aber, meine Mutter, Perlen bedeuten Tränen.

CLAUDIA. Kind! Die Bedeutung ist träumerischer, als der Traum. – Warest du nicht von jeher eine größere Liebha-
15 berin von Perlen, als von Steinen? –

EMILIA. Freilich, meine Mutter, freilich –

APPIANI *(nachdenkend und schwermütig)*. Bedeuten Tränen – bedeuten Tränen!

EMILIA. Wie? Ihnen fällt das auf? Ihnen?

20 APPIANI. Jawohl; ich sollte mich schämen. – Aber, wenn die Einbildungskraft einmal zu traurigen Bildern gestimmt ist –

EMILIA. Warum ist sie das auch? – Und was meinen Sie, das ich mir ausgedacht habe? – Was trug ich, wie sah ich, als
25 ich Ihnen zuerst gefiel? – Wissen Sie es noch?

APPIANI. Ob ich es noch weiß? Ich sehe Sie in Gedanken nie anders, als so; und sehe Sie so, auch wenn ich Sie nicht so sehe.

EMILIA. Also, ein Kleid von der nämlichen Farbe, von dem
30 nämlichen Schnitte; fliegend und frei – ↗

APPIANI. Vortrefflich!

EMILIA. Und das Haar –

APPIANI. In seinem eignen braunen Glanze; in Locken, wie sie die Natur schlug –

35 EMILIA. Die Rose darin nicht zu vergessen! Recht! recht! – Eine kleine Geduld, und ich stehe so vor Ihnen da!

4 **Geschmeide:** hier: wertvoller Schmuck | 5 f. **sich … schickte:** passte, angemessen wäre | 6 **gram:** böse | 24 **wie sah ich:** wie sah ich aus | 29 **nämlichen:** derselben | 33 **eignen braunen Glanze:** ungefärbt, nicht von einer Perücke bedeckt und nicht frisiert | 36 **Eine kleine Geduld:** Nur etwas Geduld

Achter Auftritt

GRAF APPIANI. CLAUDIA GALOTTI.

APPIANI *(indem er ihr mit einer niedergeschlagenen Miene nachsieht).* Perlen bedeuten Tränen! – Eine kleine Geduld! – Ja, wenn die Zeit nur außer uns wäre! – Wenn eine Minute am Zeiger, sich in uns nicht in Jahre ausdehnen könnte! – 5

CLAUDIA. Emiliens Beobachtung, Herr Graf, war so schnell, als richtig. Sie sind heut ernster als gewöhnlich. Nur noch einen Schritt von dem Ziele Ihrer Wünsche, – sollt es Sie reuen, Herr Graf, dass es das Ziel Ihrer Wünsche gewesen? 10

APPIANI. Ah, meine Mutter, und Sie können das von Ihrem Sohne argwohnen? – Aber, es ist wahr; ich bin heut ungewöhnlich trübe und finster. – Nur sehen Sie, gnädige Frau; – noch Einen Schritt vom Ziele, oder noch gar nicht ausgelaufen sein, ist im Grunde eines. – Alles was ich sehe, alles was ich höre, alles was ich träume, prediget mir seit gestern und ehegestern diese Wahrheit. Dieser Eine Gedanke kettet sich an jeden andern, den ich haben muss und haben will. – Was ist das? Ich versteh es nicht. – 15 20

CLAUDIA. Sie machen mich unruhig, Herr Graf –

APPIANI. Eines kömmt dann zum andern! – Ich bin ärgerlich; ärgerlich über meine Freunde, über mich selbst –

CLAUDIA. Wieso? 25

APPIANI. Meine Freunde verlangen schlechterdings, dass ich dem Prinzen von meiner Heirat ein Wort sagen soll, ehe ich sie vollziehe. Sie geben mir zu, ich sei es nicht schuldig: aber die Achtung gegen ihn woll es nicht anders. – Und ich bin schwach genug gewesen, es ihnen zu versprechen. Eben wollt ich noch bei ihm vorfahren. 30

CLAUDIA *(stutzig).* Bei dem Prinzen?

14 **argwohnen:** argwöhnen, befürchten | 19 **ehegestern:** vorgestern | 26 **schlechterdings:** einfach, unbedingt | 28 f. **ich sei es nicht schuldig:** ich sei nicht dazu verpflichtet

Neunter Auftritt

PIRRO, *gleich darauf* MARINELLI, *und* DIE VORIGEN.

PIRRO. Gnädige Frau, der Marchese Marinelli hält vor dem Hause, und erkundiget sich nach dem Herrn Grafen.

5 APPIANI. Nach mir?

PIRRO. Hier ist er schon. *(Öffnet ihm die Türe und gehet ab.)*

MARINELLI. Ich bitt um Verzeihung, gnädige Frau. – Mein Herr Graf, ich war vor Ihrem Hause, und erfuhr, dass ich Sie hier treffen würde. Ich hab ein dringendes Geschäft

10 an Sie – Gnädige Frau, ich bitte nochmals um Verzeihung; es ist in einigen Minuten geschehen.

CLAUDIA. Die ich nicht verzögern will. *(Macht ihm eine Verbeugung und geht ab.)*

Zehnter Auftritt

15 MARINELLI. APPIANI.

APPIANI. Nun, mein Herr?

MARINELLI. Ich komme von des Prinzen Durchlaucht.

APPIANI. Was ist zu seinem Befehle?

MARINELLI. Ich bin stolz, der Überbringer einer so vorzüg-

20 lichen Gnade zu sein. – Und wenn Graf Appiani nicht mit Gewalt einen seiner ergebensten Freunde in mir verkennen will – –

APPIANI. Ohne weitere Vorrede; wenn ich bitten darf.

MARINELLI. Auch das! – Der Prinz muss sogleich an den

25 Herzog von Massa, in Angelegenheit seiner Vermählung mit dessen Prinzessin Tochter, einen Bevollmächtigten senden. Er war lange unschlüssig, wen er dazu ernennen sollte. Endlich ist seine Wahl, Herr Graf, auf Sie gefallen.

APPIANI. Auf mich?

30 MARINELLI. Und das, – wenn die Freundschaft ruhmredig sein darf – nicht ohne mein Zutun –

APPIANI. Wahrlich, Sie setzen mich wegen eines Dankes in

9 f. Geschäft an Sie: Auftrag für Sie | **19 f. vorzüglichen Gnade:** Gnade, die den Empfänger besonders auszeichnet | **30 ruhmredig:** sich selbst rühmend, angeberisch

Verlegenheit. – Ich habe schon längst nicht mehr erwartet, dass der Prinz mich zu brauchen geruhen werde. –

MARINELLI. Ich bin versichert, dass es ihm bloß an einer würdigen Gelegenheit gemangelt hat. Und wenn auch diese so eines Mannes, wie Graf Appiani, noch nicht würdig genug sein sollte: so ist freilich meine Freundschaft zu voreilig gewesen.

APPIANI. Freundschaft und Freundschaft, um das dritte Wort! – Mit wem red ich denn? Des Marchese Marinelli Freundschaft hätt ich mir nie träumen lassen. –

MARINELLI. Ich erkenne mein Unrecht, Herr Graf, mein unverzeihliches Unrecht, dass ich, ohne Ihre Erlaubnis, Ihr Freund sein wollen. – Bei dem allen: was tut das? Die Gnade des Prinzen, die Ihnen angetragene Ehre, bleiben, was sie sind: und ich zweifle nicht, Sie werden sie mit Begierd ergreifen.

APPIANI *(nach einiger Überlegung)*. Allerdings.

MARINELLI. Nun so kommen Sie.

APPIANI. Wohin?

MARINELLI. Nach Dosalo, zu dem Prinzen. – Es liegt schon alles fertig; und Sie müssen noch heut abreisen.

APPIANI. Was sagen Sie? – Noch heute?

MARINELLI. Lieber noch in dieser nämlichen Stunde, als in der folgenden. Die Sache ist von der äußersten Eil.

APPIANI. In Wahrheit? – So tut es mir leid, dass ich die Ehre, welche mir der Prinz zugedacht, verbitten muss.

MARINELLI. Wie?

APPIANI. Ich kann heute nicht abreisen; – auch morgen nicht; – auch übermorgen noch nicht. –

MARINELLI. Sie scherzen, Herr Graf.

APPIANI. Mit Ihnen?

MARINELLI. Unvergleichlich! Wenn der Scherz den Prinzen gilt, so ist er um so viel lustiger. – Sie können nicht?

APPIANI. Nein, mein Herr, nein. – Und ich hoffe, dass der Prinz selbst meine Entschuldigung wird gelten lassen.

MARINELLI. Die bin ich begierig, zu hören.

3 **Ich bin versichert:** Ich bin sicher | 8 f. **um das dritte Wort:** zum dritten Mal dieses Wort | 13 **Freund sein wollen:** Freund habe sein wollen; vgl. Fn. zu 29,17 f. | 26 **verbitten:** ablehnen, ausschlagen

APPIANI. O, eine Kleinigkeit! – Sehen Sie; ich soll noch heut eine Frau nehmen.

MARINELLI. Nun? und dann?

APPIANI. Und dann? – und dann? – Ihre Frage ist auch ver-
5 zweifelt naiv.

MARINELLI. Man hat Exempel, Herr Graf, dass sich Hochzeiten aufschieben lassen. – Ich glaube freilich nicht, dass der Braut oder dem Bräutigam immer damit gedient ist. Die Sache mag ihr Unangenehmes haben. Aber doch,
10 dächt ich, der Befehl des Herrn –

APPIANI. Der Befehl des Herrn? – des Herrn? Ein Herr, den man sich selber wählt, ist unser Herr so eigentlich nicht – Ich gebe zu, dass Sie dem Prinzen unbedingtern Gehorsam schuldig wären. Aber nicht ich. – Ich kam an seinen
15 Hof als ein Freiwilliger. Ich wollte die Ehre haben, ihm zu dienen: aber nicht sein Sklave werden. Ich bin der Vasall eines größern Herrn –

MARINELLI. Größer oder kleiner: Herr ist Herr.

APPIANI. Dass ich mit Ihnen darüber stritte! – Genug, sagen
20 Sie dem Prinzen, was Sie gehört haben: – dass es mir leid tut, seine Gnade nicht annehmen zu können; weil ich eben heut eine Verbindung vollzöge, die mein ganzes Glück ausmache.

MARINELLI. Wollen Sie ihm nicht zugleich wissen lassen,
25 mit wem?

APPIANI. Mit Emilia Galotti.

MARINELLI. Der Tochter aus diesem Hause?

APPIANI. Aus diesem Hause.

MARINELLI. Hm! hm!

30 APPIANI. Was beliebt?

MARINELLI. Ich sollte meinen, dass es sonach umso weniger Schwierigkeit haben könne, die Zeremonie bis zu Ihrer Zurückkunft auszusetzen.

APPIANI. Die Zeremonie? Nur die Zeremonie?

35 MARINELLI. Die guten Eltern werden es so genau nicht nehmen.

4 f. **verzweifelt:** hier: besonders | 6 **Exempel:** Beispiele | 30 **Was beliebt?:** Wie bitte? | 31 **sonach:** dann, demnach | 35 **guten Eltern:** hier: die treudummen, einfältigen Eltern

APPIANI. Die guten Eltern?
MARINELLI. Und Emilia bleibt Ihnen ja wohl gewiss.
APPIANI. Ja wohl gewiss? – Sie sind mit Ihrem Ja wohl – ja wohl ein ganzer Affe!
MARINELLI. Mir das, Graf? 5
APPIANI. Warum nicht?
MARINELLI. Himmel und Hölle! – Wir werden uns sprechen.
APPIANI. Pah! Hämisch ist der Affe; aber –
↗ MARINELLI. Tod und Verdammnis! – Graf, ich fodere Genugtuung. 10
APPIANI. Das versteht sich.
MARINELLI. Und würde sie gleich itzt nehmen: – nur dass ich dem zärtlichen Bräutigam den heutigen Tag nicht verderben mag. 15
APPIANI. Gutherziges Ding! Nicht doch! Nicht doch! *(Indem er ihn bei der Hand ergreift.)* Nach Massa freilich mag ich mich heute nicht schicken lassen: aber zu einem Spaziergange mit Ihnen hab ich Zeit übrig. – Kommen Sie, kommen Sie! 20
MARINELLI *(der sich losreißt, und abgeht).* Nur Geduld, Graf, nur Geduld!

Eilfter Auftritt

APPIANI. CLAUDIA GALOTTI.

APPIANI. Geh, Nichtswürdiger! – Ha! das hat gut getan. 25 Mein Blut ist in Wallung gekommen. Ich fühle mich anders und besser.
CLAUDIA *(eiligst und besorgt).* Gott! Herr Graf – Ich hab einen heftigen Wortwechsel gehört. – Ihr Gesicht glühet. Was ist vorgefallen? 30
APPIANI. Nichts, gnädige Frau, gar nichts. Der Kammerherr Marinelli hat mir einen großen Dienst erwiesen. Er hat mich des Ganges zum Prinzen überhoben.

4 **ein ganzer Affe:** ein richtiger Affe | 18 f. **zu einem Spaziergange:** für ein Duell; Umschreibung, da Duelle zu dieser Zeit verboten waren | 23 **Eilfter:** Elfter | 25 **Nichtswürdiger:** Verachtenswerter, Erbärmlicher | 33 **des Ganges … überhoben:** den Gang zum Prinzen überflüssig gemacht

CLAUDIA. In der Tat?

APPIANI. Wir können nun um so viel früher abfahren. Ich gehe, meine Leute zu treiben, und bin sogleich wieder hier. Emilia wird indes auch fertig.

5 CLAUDIA. Kann ich ganz ruhig sein, Herr Graf?

APPIANI. Ganz ruhig, gnädige Frau. *(Sie geht herein und er fort.)*

Dritter Aufzug

Die Szene: ein Vorsaal auf dem Lustschlosse des Prinzen.

Erster Auftritt

DER PRINZ. MARINELLI.

MARINELLI. Umsonst; er schlug die angetragene Ehre mit der größten Verachtung aus. 5

DER PRINZ. Und so bleibt es dabei? So geht es vor sich? so wird Emilia noch heute die Seinige?

MARINELLI. Allem Ansehen nach.

DER PRINZ. Ich versprach mir von Ihrem Einfalle so viel! – 10 Wer weiß, wie albern Sie sich dabei genommen. – Wenn der Rat eines Toren einmal gut ist, so muss ihn ein gescheuter Mann ausführen. Das hätt ich bedenken sollen.

MARINELLI. Da find ich mich schön belohnt!

DER PRINZ. Und wofür belohnt? 15

MARINELLI. Dass ich noch mein Leben darüber in die Schanze schlagen wollte. – Als ich sahe, dass weder Ernst noch Spott den Grafen bewegen konnte, seine Liebe der Ehre nachzusetzen: versucht ich es, ihn in Harnisch zu jagen. Ich sagte ihm Dinge, über die er sich vergaß. Er 20 stieß Beleidigungen gegen mich aus: und ich forderte Genugtuung, – und forderte sie gleich auf der Stelle. – Ich dachte so: entweder er mich; oder ich ihn. Ich ihn: so ist das Feld ganz unser. Oder er mich: nun, wenn auch; so muss er fliehen, und der Prinz gewinnt wenigstens 25 Zeit.

DER PRINZ. Das hätten Sie getan, Marinelli?

MARINELLI. Ha! man sollt es voraus wissen, wenn man so töricht bereit ist, sich für die Großen aufzuopfern – man sollt es voraus wissen, wie erkenntlich sie sein würden – 30

DER PRINZ. Und der Graf? – Er stehet in dem Rufe, sich so etwas nicht zweimal sagen zu lassen.

11 **genommen:** benommen | 12 f. **gescheuter:** gescheiter | 16 f. **mein Leben … in die Schanze schlagen:** mein Leben aufs Spiel setzen | 19 **nachzusetzen:** hintanzustellen | 19 f. **in Harnisch zu jagen:** ihn dazu zu bringen, eine Rüstung anzulegen, also: ihn zu provozieren | 20 **sich vergaß:** die Beherrschung verlor

MARINELLI. Nachdem es fällt, ohne Zweifel. – Wer kann es ihm verdenken? – Er versetzte, dass er auf heute doch noch etwas Wichtigers zu tun habe, als sich mit mir den Hals zu brechen. Und so beschied er mich auf die ersten 5 acht Tage nach der Hochzeit.

DER PRINZ. Mit Emilia Galotti! Der Gedanke macht mich rasend! – Darauf ließen Sie es gut sein, und gingen: – und kommen und prahlen, dass Sie Ihr Leben für mich in die Schanze geschlagen; sich mir aufgeopfert –

10 MARINELLI. Was wollen Sie aber, gnädiger Herr, das ich weiter hätte tun sollen?

DER PRINZ. Weiter tun? – Als ob er etwas getan hätte! ↗

MARINELLI. Und lassen Sie doch hören, gnädiger Herr, was Sie für sich selbst getan haben. – Sie waren so glücklich, 15 sie noch in der Kirche zu sprechen. Was haben Sie mit ihr abgeredet?

DER PRINZ *(höhnisch)*. Neugierde zur Genüge! – Die ich nur befriedigen muss. – O, es ging alles nach Wunsch. – Sie brauchen sich nicht weiter zu bemühen, mein allzu 20 dienstfertiger Freund! – Sie kam meinem Verlangen, mehr als halbes Weges, entgegen. Ich hätte sie nur gleich mitnehmen dürfen. *(Kalt und befehlend.)* Nun wissen Sie, was Sie wissen wollen; – und können gehn!

MARINELLI. Und können gehn! – Ja, ja; das ist das Ende 25 vom Liede! und würd es sein, gesetzt auch, ich wollte noch das Unmögliche versuchen. – Das Unmögliche sag ich? – So unmöglich wär es nun wohl nicht: aber kühn. – Wenn wir die Braut in unserer Gewalt hätten: so stünd ich dafür, dass aus der Hochzeit nichts werden sollte.

30 DER PRINZ. Ei! wofür der Mann nicht alles stehen will! Nun dürft ich ihm nur noch ein Kommando von meiner Leibwache geben, und er legte sich an der Landstraße damit in Hinterhalt, und fiele selbst funfziger einen Wagen an, und riss ein Mädchen heraus, das er im Triumphe mir zu-35 brächte.

MARINELLI. Es ist eher ein Mädchen mit Gewalt entführt

1 **Nachdem es fällt:** Wie es kommt, den Umständen entsprechend | 16 **abgeredet:** verabredet | 21 **mehr als halbes Weges:** mehr als halbwegs, ziemlich weit | 28 f. **stünd ich dafür:** stünde ich dafür; hier: verbürgte ich mich dafür | 33 **selbst funfziger:** selbst als fünfzigster (mit 49 anderen)

↗ worden, ohne dass es einer gewaltsamen Entführung ähnlich gesehen.

DER PRINZ. Wenn Sie das zu machen wüssten: so würden Sie nicht erst lange davon schwatzen.

MARINELLI. Aber für den Ausgang müsste man nicht stehen sollen. – Es könnten sich Unglücksfälle dabei eräugnen – 5

DER PRINZ. Und es ist meine Art, dass ich Leute Dinge verantworten lasse, wofür sie nicht können!

MARINELLI. Also, gnädiger Herr – *(Man hört von weitem einen Schuss.)* Ha! was war das? – Hört ich recht? – Hörten 10 Sie nicht auch, gnädiger Herr, einen Schuss fallen? – Und da noch einen!

DER PRINZ. Was ist das? was gibt's?

MARINELLI. Was meinen Sie wohl? – Wie wann ich tätiger wäre, als Sie glauben? 15

DER PRINZ. Tätiger? – So sagen Sie doch –

MARINELLI. Kurz: wovon ich gesprochen, geschieht.

DER PRINZ. Ist es möglich?

MARINELLI. Nur vergessen Sie nicht, Prinz, wessen Sie mich eben versichert. – Ich habe nochmals Ihr Wort – – 20

DER PRINZ. Aber die Anstalten sind doch so –

MARINELLI. Als sie nur immer sein können! – Die Ausführung ist Leuten anvertrauet, auf die ich mich verlassen ↗ kann. Der Weg geht hart an der Planke des Tiergartens vorbei. Da wird ein Teil den Wagen angefallen haben; 25 gleichsam, um ihn zu plündern. Und ein anderer Teil, wobei einer von meinen Bedienten ist, wird aus dem Tiergarten gestürzt sein; den Angefallenen gleichsam zur Hülfe. Während des Handgemenges, in das beide Teile zum Schein geraten, soll mein Bedienter Emilien ergrei- 30 fen, als ob er sie retten wolle, und durch den Tiergarten in das Schloss bringen. – So ist die Abrede. – Was sagen Sie nun, Prinz?

DER PRINZ. Sie überraschen mich auf eine sonderbare Art. – Und eine Bangigkeit überfällt mich – *(Marinelli tritt an* 35 *das Fenster.)* Wornach sehen Sie?

5 f. **müsste man nicht stehen sollen:** dürfte man nicht verantwortlich gemacht werden | 6 **eräugnen:** ereignen | 24 **hart:** nahe | 24 **an der Planke:** am Zaun, Umzäunung | 24 **des Tiergartens:** des Tiergeheges; vgl. Anm. zu 42,24 | 32 **Abrede:** Verabredung | 36 **Wornach:** Wonach, nach was

MARINELLI. Dahinaus muss es sein! – Recht! – und eine Maske kömmt bereits um die Planke gesprengt; – ohne Zweifel, mir den Erfolg zu berichten. – Entfernen Sie sich, gnädiger Herr.

5 DER PRINZ. Ah, Marinelli –

MARINELLI. Nun? Nicht wahr, nun hab ich zu viel getan; und vorhin zu wenig?

DER PRINZ. Das nicht. Aber ich sehe bei alledem nicht ab – –

MARINELLI. Absehn? – Lieber alles mit eins! – Geschwind

10 entfernen Sie sich. – Die Maske muss Sie nicht sehen. *(Der Prinz gehet ab.)*

Zweiter Auftritt

MARINELLI *und bald darauf* ANGELO.

MARINELLI *(der wieder nach dem Fenster geht)*. Dort fährt der

15 Wagen langsam nach der Stadt zurück. – So langsam? Und in jedem Schlage ein Bedienter? – Das sind Anzeigen, die mir nicht gefallen: – dass der Streich wohl nur halb gelungen ist; – dass man einen Verwundeten gemächlich zurückführet, – und keinen Toten. – Die Maske

20 steigt ab. – Es ist Angelo selbst. Der Tolldreiste! – Endlich, hier weiß er die Schliche. – Er winkt mir zu. Er muss seiner Sache gewiss sein. – Ha, Herr Graf, der Sie nicht nach Massa wollten, und nun noch einen weitern Weg müssen! – Wer hatte Sie die Affen so kennen gelehrt? *(In-*

25 *dem er nach der Türe zugeht.)* Jawohl sind sie hämisch. – Nun Angelo?

ANGELO *(der die Maske abgenommen)*. Passen Sie auf, Herr Kammerherr! Man muss sie gleich bringen.

MARINELLI. Und wie lief es sonst ab?

30 ANGELO. Ich denke ja, recht gut.

MARINELLI. Wie steht es mit dem Grafen?

ANGELO. Zu dienen! So, so! – Aber er muss Wind gehabt haben. Denn er war nicht so ganz unbereitet.

1 f. **eine Maske:** ein Maskierter | 10 **Die Maske:** hier: der Maskierte | 16 **in jedem Schlage:** an jeder Tür der Kutsche | 16 f. **Anzeigen:** Anzeichen | 21 **Schliche:** Schleichwege, Tricks | 25 **Jawohl:** In der Tat | 32 f. **Wind gehabt haben:** eine Ahnung gehabt haben | 33 **unbereitet:** unvorbereitet

MARINELLI. Geschwind sage mir, was du mir zu sagen hast! – Ist er tot?

ANGELO. Es tut mir leid um den guten Herrn.

MARINELLI. Nun da, für dein mitleidiges Herz! *(Gibt ihm einen Beutel mit Gold.)*

ANGELO. Vollends mein braver Nicolo! der das Bad mit bezahlen müssen.

MARINELLI. So? Verlust auf beiden Seiten?

ANGELO. Ich könnte weinen, um den ehrlichen Jungen! Ob mir sein Tod schon das *(indem er den Beutel in der Hand wieget)* um ein Vierteil verbessert. Denn ich bin sein Erbe; weil ich ihn gerächet habe. Das ist so unser Gesetz: ein so gutes, mein ich, als für Treu und Freundschaft je gemacht worden. Dieser Nicolo, Herr Kammerherr –

MARINELLI. Mit deinem Nicolo! – Aber der Graf, der Graf –

ANGELO. Blitz! der Graf hatte ihn gut gefasst. Dafür fasst ich auch wieder den Grafen! – Er stürzte; und wenn er noch lebendig zurück in die Kutsche kam: so steh ich dafür, dass er nicht lebendig wieder herauskömmt.

MARINELLI. Wenn das nur gewiss ist, Angelo.

ANGELO. Ich will Ihre Kundschaft verlieren, wenn es nicht gewiss ist! – Haben Sie noch was zu befehlen? denn mein Weg ist der weiteste: wir wollen heute noch über die Grenze.

MARINELLI. So geh.

ANGELO. Wenn wieder was vorfällt, Herr Kammerherr, – Sie wissen, wo ich zu erfragen bin. Was sich ein andrer zu tun getrauet, wird für mich auch keine Hexerei sein. Und billiger bin ich, als jeder andere. *(Geht ab.)*

MARINELLI. Gut das! – Aber doch nicht so recht gut. – Pfui, Angelo! so ein Knicker zu sein! Einen zweiten Schuss wäre er ja wohl noch wert gewesen. – Und wie er sich vielleicht nun martern muss, der arme Graf! – Pfui, Angelo! Das heißt sein Handwerk sehr grausam treiben; – und verpfuschen. – Aber davon muss der Prinz noch

6 f. **das Bad mit bezahlen:** mit ausbaden | 9 f. **Ob … schon:** Obwohl | 11 **Vierteil:** Viertel | 17 **Blitz!:** Ausruf des Erstaunens und der Überraschung, auch als Fluch: Verdammt! | 22 **Ihre Kundschaft:** Ihre Gunst | 32 **Knicker:** Geizhals | 34 **martern:** quälen

nichts wissen. Er muss erst selbst finden, wie zuträglich ihm dieser Tod ist. – Dieser Tod! – Was gäb ich um die Gewissheit!

Dritter Auftritt

5 DER PRINZ. MARINELLI.

DER PRINZ. Dort kömmt sie, die Allee herauf. Sie eilet vor dem Bedienten her. Die Furcht, wie es scheinet, beflügelt ihre Füße. Sie muss noch nichts argwohnen. Sie glaubt sich nur vor Räubern zu retten. – Aber wie lange kann
10 das dauren?

MARINELLI. So haben wir sie doch fürs Erste.

DER PRINZ. Und wird die Mutter sie nicht aufsuchen? Wird der Graf ihr nicht nachkommen? Was sind wir alsdenn weiter? Wie kann ich sie ihnen vorenthalten?

15 MARINELLI. Auf das alles weiß ich freilich noch nichts zu antworten. Aber wir müssen sehen. Gedulden Sie sich, gnädiger Herr. Der erste Schritt musste doch getan sein. –

DER PRINZ. Wozu? wenn wir ihn zurücktun müssen.

20 MARINELLI. Vielleicht müssen wir nicht. – Da sind tausend Dinge, auf die sich weiter fußen lässt. – Und vergessen Sie denn das Vornehmste?

DER PRINZ. Was kann ich vergessen, woran ich sicher noch nicht gedacht habe? – Das Vornehmste? was ist das?

25 MARINELLI. Die Kunst zu gefallen, zu überreden, – die einem Prinzen, welcher liebt, nie fehlet.

DER PRINZ. Nie fehlet? Außer, wo er sie gerade am nötigsten brauchte. – Ich habe von dieser Kunst schon heut einen zu schlechten Versuch gemacht. Mit allen Schmeiche-
30 leien und Beteuerungen konnt ich ihr auch nicht ein Wort auspressen. Stumm und niedergeschlagen und zitternd stand sie da; wie eine Verbrecherin, die ihr Todesurteil höret. Ihre Angst steckte mich an, ich zitterte mit, und

6 **Allee:** baumgesäumte Zufahrt zum Schloss | 8 **argwohnen:** argwöhnen | 10 **dauren:** (an)dauern | 13 f. **Was sind wir alsdenn weiter?:** Wie bringt uns das weiter? | 21 **fußen:** aufbauen | 22 **das Vornehmste:** das Wichtigste

schloss mit einer Bitte um Vergebung. Kaum getrau ich mir, sie wieder anzureden. – Bei ihrem Eintritte wenigstens wag ich es nicht zu sein. Sie, Marinelli, müssen sie empfangen. Ich will hier in der Nähe hören, wie es abläuft; und kommen, wenn ich mich mehr gesammelt habe. 5

Vierter Auftritt

MARINELLI *und bald darauf dessen Bedienter* BATTISTA *mit* EMILIEN.

MARINELLI. Wenn sie ihn nicht selbst stürzen gesehen – 10 Und das muss sie wohl nicht; da sie so fortgeeilet – Sie kömmt. Auch ich will nicht das Erste sein, was ihr hier in die Augen fällt. *(Er zieht sich in einen Winkel des Saales zurück.)*

BATTISTA. Nur hier herein, gnädiges Fräulein. 15

EMILIA *(außer Atem).* Ah! – Ah! – Ich danke Ihm, mein Freund; – ich dank Ihm. – Aber Gott, Gott! wo bin ich? – Und so ganz allein? Wo bleibt meine Mutter? Wo blieb der Graf? – Sie kommen doch nach? mir auf dem Fuße nach? 20

BATTISTA. Ich vermute.

EMILIA. Er vermutet? Er weiß es nicht? Er sah sie nicht? – Ward nicht gar hinter uns geschossen? –

BATTISTA. Geschossen? – Das wäre! –

EMILIA. Ganz gewiss! Und das hat den Grafen, oder meine 25 Mutter getroffen. –

BATTISTA. Ich will gleich nach ihnen ausgehen.

EMILIA. Nicht ohne mich. – Ich will mit; ich muss mit: komm' Er, mein Freund!

MARINELLI *(der plötzlich herzutritt, als ob er eben herein- 30 käme).* Ah, gnädiges Fräulein! Was für ein Unglück, oder ↗ vielmehr, was für ein Glück, – was für ein glückliches Unglück verschafft uns die Ehre –

9 **Emilien:** Emilia, Dativ; im 18. Jh. wurden Eigennamen nach der schwachen Deklination dekliniert. | 10 **stürzen:** tot niederfallen, sterben | 16 **Ihm:** dem Untergebenen, vgl. Fn. zu 15,20 | 19 **auf dem Fuße:** unmittelbar | 23 **Ward:** Wurde | 27 **nach ihnen ausgehen:** gehen, um sie zu suchen

EMILIA *(stutzend)*. Wie? Sie hier, mein Herr? – Ich bin also wohl bei Ihnen? – Verzeihen Sie, Herr Kammerherr. Wir sind von Räubern ohnfern überfallen worden. Da kamen uns gute Leute zu Hülfe; – und dieser ehrliche Mann hob
5 mich aus dem Wagen, und brachte mich hierher. – Aber ich erschrecke, mich allein gerettet zu sehen. Meine Mutter ist noch in der Gefahr. Hinter uns ward sogar geschossen. Sie ist vielleicht tot; – und ich lebe? – Verzeihen Sie. Ich muss fort; ich muss wieder hin, – wo ich gleich
10 hätte bleiben sollen.

MARINELLI. Beruhigen Sie sich, gnädiges Fräulein. Es stehet alles gut; sie werden bald bei Ihnen sein, die geliebten Personen, für die Sie so viel zärtliche Angst empfinden. – Indes, Battista, geh, lauf: sie dürften vielleicht nicht wis-
15 sen, wo das Fräulein ist. Sie dürften sie vielleicht in einem von den Wirtschaftshäusern des Gartens suchen. Bringe sie unverzüglich hierher. *(Battista geht ab.)*

EMILIA. Gewiss? Sind sie alle geborgen? Ist ihnen nichts widerfahren? – Ah, was ist dieser Tag für ein Tag des
20 Schreckens für mich! – Aber ich sollte nicht hier bleiben; ich sollte ihnen entgegeneilen –

MARINELLI. Wozu das, gnädiges Fräulein? Sie sind ohnedem schon ohne Atem und Kräfte. Erholen Sie sich vielmehr, und geruhen in ein Zimmer zu treten, wo mehr Bequem-
25 lichkeit ist. – Ich will wetten, dass der Prinz schon selbst um Ihre teure ehrwürdige Mutter ist, und sie Ihnen zuführet.

EMILIA. Wer, sagen Sie?

MARINELLI. Unser gnädigster Prinz selbst.

30 EMILIA *(äußerst bestürzt)*. Der Prinz?

MARINELLI. Er floh, auf die erste Nachricht, Ihnen zu Hülfe. – Er ist höchst ergrimmt, dass ein solches Verbrechen ihm so nahe, unter seinen Augen gleichsam, hat dürfen gewagt werden. Er lässt den Tätern nachsetzen, und ihre Strafe,
35 wenn sie ergriffen werden, wird unerhört sein.

EMILIA. Der Prinz! – Wo bin ich denn also?

3 **ohnfern:** nicht weit entfernt | 4 **Hülfe:** Hilfe | 13 **zärtliche:** zarte, besorgte | 14 **dürften:** könnten | 16 **Wirtschaftshäusern des Gartens:** Häuser zur Bewirtschaftung der Gärten des Prinzen | 31 **floh:** hier: eilte | 34 **den Tätern nachsetzen:** die Täter verfolgen

MARINELLI. Auf Dosalo, dem Lustschlosse des Prinzen.
EMILIA. Welch ein Zufall! – Und Sie glauben, dass er gleich selbst erscheinen könne? – Aber doch in Gesellschaft meiner Mutter?
MARINELLI. Hier ist er schon. 5

Fünfter Auftritt

DER PRINZ. EMILIA. MARINELLI.

DER PRINZ. Wo ist sie? wo? – Wir suchen Sie überall, schönstes Fräulein. – Sie sind doch wohl? – Nun so ist alles wohl! Der Graf, Ihre Mutter, – 10
EMILIA. Ah, gnädigster Herr! wo sind sie? Wo ist meine Mutter?
DER PRINZ. Nicht weit; hier ganz in der Nähe.
EMILIA. Gott, in welchem Zustande werde ich die eine, oder den andern, vielleicht treffen! Ganz gewiss treffen! – 15 denn Sie verhehlen mir, gnädiger Herr – ich seh es, Sie verhehlen mir –
DER PRINZ. Nicht doch, bestes Fräulein. – Geben Sie mir Ihren Arm, und folgen Sie mir getrost.
EMILIA *(unentschlossen).* Aber – wenn ihnen nichts widerfah- 20 ren – wenn meine Ahnungen mich trügen: – warum sind sie nicht schon hier? Warum kamen sie nicht mit Ihnen, gnädiger Herr?
DER PRINZ. So eilen Sie doch, mein Fräulein, alle diese Schreckenbilder mit eins verschwinden zu sehen. – 25
EMILIA. Was soll ich tun! *(Die Hände ringend.)*
DER PRINZ. Wie, mein Fräulein? Sollten Sie einen Verdacht gegen mich hegen? –
EMILIA *(die vor ihm niederfällt).* Zu Ihren Füßen, gnädiger Herr – 30
DER PRINZ *(sie aufhebend).* Ich bin äußerst beschämt. – Ja, Emilia, ich verdiene diesen stummen Vorwurf. – Mein Betragen diesen Morgen, ist nicht zu rechtfertigen: – zu

9 **wohl:** wohlauf | 16 **verhehlen:** verschweigen | 25 **mit eins:** auf einmal

entschuldigen höchstens. Verzeihen Sie meiner Schwachheit. Ich hätte Sie mit keinem Geständnisse beunruhigen sollen, von dem ich keinen Vorteil zu erwarten habe. Auch ward ich durch die sprachlose Bestürzung, mit der Sie es anhörten, oder vielmehr nicht anhörten, genugsam bestraft. – Und könnt ich schon diesen Zufall, der mir nochmals, ehe alle meine Hoffnung auf ewig verschwindet, – mir nochmals das Glück Sie zu sehen und zu sprechen verschafft; könnt ich schon diesen Zufall für den Wink eines günstigen Glückes erklären, – für den wunderbarsten Aufschub meiner endlichen Verurteilung erklären, um nochmals um Gnade flehen zu dürfen: so will ich doch – Beben Sie nicht, mein Fräulein – einzig und allein von Ihrem Blicke abhangen. Kein Wort, kein Seufzer, soll Sie beleidigen. – Nur kränke mich nicht Ihr Misstrauen. Nur zweifeln Sie keinen Augenblick an der unumschränktesten Gewalt, die Sie über mich haben. Nur falle Ihnen nie bei, dass Sie eines andern Schutzes gegen mich bedürfen. – Und nun kommen Sie, mein Fräulein, – kommen Sie, wo Entzückungen auf Sie warten, die Sie mehr billigen. *(Er führt sie, nicht ohne Sträuben, ab.)* Folgen Sie uns, Marinelli. –

MARINELLI. Folgen Sie uns, – das mag heißen: folgen Sie uns nicht! – Was hätte ich ihnen auch zu folgen? Er mag sehen, wie weit er es unter vier Augen mit ihr bringt. – Alles, was ich zu tun habe, ist, – zu verhindern, dass sie nicht gestöret werden. Von dem Grafen zwar, hoffe ich nun wohl nicht. Aber von der Mutter; von der Mutter! Es sollte mich sehr wundern, wenn die so ruhig abgezogen wäre, und ihre Tochter im Stiche gelassen hätte. – Nun, Battista? was gibt's?

5 **genugsam:** genug | 11 **endlichen Verurteilung:** endgültigen, unwiderruflichen Zurückweisung | 14 **von Ihrem Blicke abhangen:** abhängen, mich ganz nach Ihnen richten | 18 **falle Ihnen nie bei:** falle es Ihnen niemals ein, unterstellen Sie niemals

Sechster Auftritt

BATTISTA. MARINELLI.

BATTISTA *(eiligst).* Die Mutter, Herr Kammerherr –

MARINELLI. Dacht ich's doch! – Wo ist sie?

BATTISTA. Wann Sie ihr nicht zuvorkommen, so wird sie den Augenblick hier sein. – Ich war gar nicht willens, wie Sie mir zum Schein geboten, mich nach ihr umzusehen: als ich ihr Geschrei von weitem hörte. Sie ist der Tochter auf der Spur, und wo nur nicht – unserm ganzen Anschlage! Alles, was in dieser einsamen Gegend von Menschen ist, hat sich um sie versammelt; und jeder will der sein, der ihr den Weg weiset. Ob man ihr schon gesagt, dass der Prinz hier ist, dass Sie hier sind, weiß ich nicht. – Was wollen Sie tun?

MARINELLI. Lass sehen! – *(Er überlegt.)* Sie nicht einlassen, wenn sie weiß, dass die Tochter hier ist? – Das geht nicht. – Freilich, sie wird Augen machen, wenn sie den Wolf bei dem Schäfchen sieht. – Augen? Das möchte noch sein. Aber der Himmel sei unsern Ohren gnädig! – Nun was? die beste Lunge erschöpft sich; auch sogar eine weibliche. Sie hören alle auf zu schreien, wenn sie nicht mehr können. – Dazu, es ist doch einmal die Mutter, die wir auf unserer Seite haben müssen. – Wenn ich die Mütter recht kenne: – so etwas von einer Schwiegermutter eines Prinzen zu sein, schmeichelt die meisten. – Lass sie kommen, Battista, lass sie kommen!

BATTISTA. Hören Sie! hören Sie!

↗ CLAUDIA GALOTTI *(innerhalb).* Emilia! Emilia! Mein Kind, wo bist du?

MARINELLI. Geh, Battista, und suche nur ihre neugierigen Begleiter zu entfernen.

5 **Wann:** Wenn | 9 **wo nur nicht:** wenn nicht gar | 18 **Das möchte noch sein:** Das ginge noch an

Siebenter Auftritt

CLAUDIA GALOTTI. BATTISTA. MARINELLI.

CLAUDIA *(die in die Türe tritt, indem Battista herausgehen will).* Ha! der hob sie aus dem Wagen! Der führte sie fort! Ich erkenne dich. Wo ist sie? Sprich, Unglücklicher!
BATTISTA. Das ist mein Dank?
CLAUDIA. O, wenn du Dank verdienest: *(in einem gelinden Tone)* – so verzeihe mir, ehrlicher Mann! – Wo ist sie? – Lasst mich sie nicht länger entbehren. Wo ist sie?
BATTISTA. O, Ihre Gnaden, sie könnte in dem Schoße der Seligkeit nicht aufgehobner sein. – Hier mein Herr wird Ihre Gnaden zu ihr führen. *(Gegen einige Leute, welche nachdringen wollen.)* Zurück da! ihr!

Achter Auftritt

CLAUDIA GALOTTI. MARINELLI.

CLAUDIA. Dein Herr? *(Erblickt den Marinelli und fährt zurück.)* Ha! – Das dein Herr? – Sie hier, mein Herr? Und hier meine Tochter? Und Sie, Sie sollen mich zu ihr führen?
MARINELLI. Mit vielem Vergnügen, gnädige Frau.
CLAUDIA. Halten Sie! – Eben fällt mir es bei – Sie waren es ja – nicht? – Der den Grafen diesen Morgen in meinem Hause aufsuchte? mit dem ich ihn allein ließ? mit dem er Streit bekam?
MARINELLI. Streit? – Was ich nicht wüsste: ein unbedeutender Wortwechsel in herrschaftlichen Angelegenheiten –
CLAUDIA. Und Marinelli heißen Sie?
MARINELLI. Marchese Marinelli.
CLAUDIA. So ist es richtig. – Hören Sie doch, Herr Marchese. – Marinelli war – der Name Marinelli war – begleitet mit einer Verwünschung – Nein, dass ich den edeln Mann

5 **Unglücklicher:** Unglückseliger, Verwünschter | 21 **fällt mir es bei:** fällt es mir ein | 26 **in herrschaftlichen Angelegenheiten:** in Angelegenheiten, die die Herrschaft, das Staatsgeschäft betreffen | 31 **edeln:** edlen

nicht verleumde! – begleitet mit keiner Verwünschung – Die Verwünschung denk ich hinzu – Der Name Marinelli war das letzte Wort des sterbenden Grafen.

MARINELLI. Des sterbenden Grafen? Grafen Appiani? – Sie hören, gnädige Frau, was mir in Ihrer seltsamen Rede am meisten auffällt. – Des sterbenden Grafen? – Was Sie sonst sagen wollen, versteh ich nicht.

CLAUDIA *(bitter und langsam).* Der Name Marinelli war das letzte Wort des sterbenden Grafen! – Verstehen Sie nun? – Ich verstand es erst auch nicht: obschon mit einem Tone gesprochen – mit einem Tone! – Ich höre ihn noch! Wo waren meine Sinne, dass sie diesen Ton nicht sogleich verstanden?

MARINELLI. Nun, gnädige Frau? – Ich war von jeher des Grafen Freund; sein vertrautester Freund. Also, wenn er mich noch im Sterben nannte –

CLAUDIA. Mit dem Tone? – Ich kann ihn nicht nachahmen; ich kann ihn nicht beschreiben: aber er enthielt alles! alles! – Was? Räuber wären es gewesen, die uns anfielen? – Mörder waren es; erkaufte Mörder! – Und Marinelli, Marinelli war das letzte Wort des sterbenden Grafen! Mit einem Tone!

MARINELLI. Mit einem Tone? – Ist es erhört, auf einen Ton, in einem Augenblicke des Schreckens vernommen, die Anklage eines rechtschaffnen Mannes zu gründen?

CLAUDIA. Ha, könnt ich ihn nur vor Gerichte stellen, diesen Ton! – Doch, weh mir! Ich vergesse darüber meine Tochter. – Wo ist sie? – Wie? auch tot? – Was konnte meine Tochter dafür, dass Appiani dein Feind war?

MARINELLI. Ich verzeihe der bangen Mutter. – Kommen Sie, gnädige Frau – Ihre Tochter ist hier; in einem von den nächsten Zimmern: und hat sich hoffentlich von ihrem Schrecken schon völlig erholt. Mit der zärtlichsten Sorgfalt ist der Prinz selbst um sie beschäftiget –

CLAUDIA. Wer? – Wer selbst?

MARINELLI. Der Prinz.

23 **Ist es erhört:** Hat man je davon gehört

CLAUDIA. Der Prinz? – Sagen Sie wirklich, der Prinz? – Unser Prinz?

MARINELLI. Welcher sonst?

CLAUDIA. Nun dann! – Ich unglückselige Mutter! – Und ihr Vater! ihr Vater! – Er wird den Tag ihrer Geburt verfluchen. Er wird mich verfluchen.

MARINELLI. Um des Himmels willen, gnädige Frau! Was fällt Ihnen nun ein?

CLAUDIA. Es ist klar! – Ist es nicht? – Heute im Tempel! vor den Augen der Allerreinesten! in der nähern Gegenwart des Ewigen! – begann das Bubenstück; da brach es aus! *(Gegen den Marinelli.)* Ha, Mörder! feiger, elender Mörder! Nicht tapfer genug, mit eigner Hand zu morden: aber nichtswürdig genug, zu Befriedigung eines fremden Kitzels zu morden! – morden zu lassen! – Abschaum aller Mörder! – Was ehrliche Mörder sind, werden dich unter sich nicht dulden! Dich! Dich! – Denn warum soll ich dir nicht alle meine Galle, allen meinen Geifer mit einem einzigen Worte ins Gesicht speien? – Dich! Dich Kuppler!

MARINELLI. Sie schwärmen, gute Frau. – Aber mäßigen Sie wenigstens Ihr wildes Geschrei, und bedenken Sie, wo Sie sind.

CLAUDIA. Wo ich bin? Bedenken, wo ich bin? – Was kümmert es die Löwin, der man die Jungen geraubet, in wessen Walde sie brüllet?

EMILIA *(innerhalb)*. Ha, meine Mutter! Ich höre meine Mutter!

CLAUDIA. Ihre Stimme? Das ist sie! Sie hat mich gehört; sie hat mich gehört. Und ich sollte nicht schreien? – Wo bist du, mein Kind? Ich komme, ich komme! *(Sie stürzt in das Zimmer, und Marinelli ihr nach.)*

9 **Tempel:** hier: Kirche | 10 **der Allerreinesten:** der Jungfrau Maria | 11 **Bubenstück:** üble, verbrecherische Tat | 15 **Kitzels:** Lustempfindens | 15 **Abschaum:** minderwertigster Teil | 18 **Galle … Geifer:** Wut und Zorn; vgl. Anm. zu 53,18 | 19 **speien:** spucken | 19 f. **Kuppler:** hier: Zuhälter | 21 **schwärmen:** hier: unsinnig reden

Vierter Aufzug

Die Szene bleibt.

Erster Auftritt

DER PRINZ. MARINELLI.

DER PRINZ *(als aus dem Zimmer von Emilien kommend).* Kommen Sie, Marinelli! Ich muss mich erholen – und muss Licht von Ihnen haben. 5

↗ MARINELLI. O der mütterlichen Wut! Ha! ha! ha!

DER PRINZ. Sie lachen?

MARINELLI. Wenn Sie gesehen hätten, Prinz, wie toll sich hier, hier im Saale, die Mutter gebärdete – Sie hörten sie ja wohl schreien! – und wie zahm sie auf einmal ward, bei dem ersten Anblicke von Ihnen – – Ha! ha! – Das weiß ich ja wohl, dass keine Mutter einem Prinzen die Augen auskratzt, weil er ihre Tochter schön findet. 10 15

DER PRINZ. Sie sind ein schlechter Beobachter! – Die Tochter stürzte der Mutter ohnmächtig in die Arme. Darüber vergaß die Mutter ihre Wut: nicht über mir. Ihre Tochter schonte sie, nicht mich; wenn sie es nicht lauter, nicht deutlicher sagte, – was ich lieber selbst nicht gehört, nicht verstanden haben will. 20

MARINELLI. Was, gnädiger Herr?

DER PRINZ. Wozu die Verstellung? – Heraus damit. Ist es wahr? oder ist es nicht wahr?

MARINELLI. Und wenn es denn wäre! 25

DER PRINZ. Wenn es denn wäre? – Also ist es? – Er ist tot? tot? – *(Drohend.)* Marinelli! Marinelli!

MARINELLI. Nun?

DER PRINZ. Bei Gott! bei dem allgerechten Gott! ich bin unschuldig an diesem Blute. – Wenn Sie mir vorher gesagt hätten, dass es dem Grafen das Leben kosten werde – 30

7 **Licht:** Klarheit, Aufklärung | 10 f. **sich … gebärdete:** sich aufführte | 18 **nicht über mir:** nicht meinetwegen | 29 f. **ich bin unschuldig … Blute:** vgl. die Worte des Pontius Pilatus, er sei unschuldig an der Kreuzigung Jesu (Neues Testament, Matthäus 27,24: »Ich bin unschuldig am Blut dieses Gerechten, sehet ihr zu!«)

Nein, nein! und wenn es mir selbst das Leben gekostet hätte! –

MARINELLI. Wenn ich Ihnen vorher gesagt hätte? – Als ob sein Tod in meinem Plane gewesen wäre! Ich hatte es dem Angelo auf die Seele gebunden, zu verhüten, dass niemanden Leides geschähe. Es würde auch ohne die geringste Gewalttätigkeit abgelaufen sein, wenn sich der Graf nicht die erste erlaubt hätte. Er schoss Knall und Fall den einen nieder.

DER PRINZ. Wahrlich; er hätte sollen Spaß verstehen!

MARINELLI. Dass Angelo sodann in Wut kam, und den Tod seines Gefährten rächte –

DER PRINZ. Freilich, das ist sehr natürlich!

MARINELLI. Ich hab es ihm genug verwiesen.

DER PRINZ. Verwiesen? Wie freundschaftlich! – Warnen Sie ihn, dass er sich in meinem Gebiete nicht betreten lässt. Mein Verweis möchte so freundschaftlich nicht sein.

MARINELLI. Recht wohl! – Ich und Angelo; Vorsatz und Zufall: alles ist eins. – Zwar ward es voraus bedungen, zwar ward es voraus versprochen, dass keiner der Unglücksfälle, die sich dabei eräugnen könnten, mir zuschulden kommen solle –

DER PRINZ. Die sich dabei eräugnen – könnten, sagen Sie? oder sollten?

MARINELLI. Immer besser! – Doch, gnädiger Herr, – ehe Sie mir es mit dem trocknen Worte sagen, wofür Sie mich halten – eine einzige Vorstellung! Der Tod des Grafen ist mir nichts weniger, als gleichgültig. Ich hatte ihn ausgefodert; er war mir Genugtuung schuldig; er ist ohne diese aus der Welt gegangen; und meine Ehre bleibt beleidiget. Gesetzt, ich verdiente unter jeden andern Umständen den Verdacht, den Sie gegen mich hegen: aber auch unter diesen? – *(Mit einer angenommenen Hitze.)* Wer das von mir denken kann! –

DER PRINZ *(nachgebend).* Nun gut, nun gut –

MARINELLI. Dass er noch lebte! O dass er noch lebte! Alles,

5 **auf die Seele gebunden:** ans Herz gelegt | 8 f. **Knall und Fall:** Knall auf Fall, plötzlich | 14 **verwiesen:** gerügt, getadelt | 16 **betreten lässt:** hier: antreffen, erwischen, blicken lässt | 19 **bedungen:** ausgemacht | 21 **eräugnen:** ereignen | 27 **Vorstellung:** Überlegung, Hinweis | 28 f. **ausgefodert:** zum Duell gefordert | 33 **Mit einer angenommenen Hitze:** Mit gespielter Erregung

alles in der Welt wollte ich darum geben – *(bitter.)* selbst die Gnade meines Prinzen, – diese unschätzbare, nie zu verscherzende Gnade – wollt' ich drum geben!

DER PRINZ. Ich verstehe. – Nun gut, nun gut. Sein Tod war Zufall, bloßer Zufall. Sie versichern es; und ich, ich glaub es. – Aber wer mehr? Auch die Mutter? Auch Emilia? – Auch die Welt?

MARINELLI *(kalt).* Schwerlich.

DER PRINZ. Und wenn man es nicht glaubt, was wird man denn glauben? – Sie zucken die Achsel? – Ihren Angelo wird man für das Werkzeug, und mich für den Täter halten –

MARINELLI *(noch kälter).* Wahrscheinlich genug.

DER PRINZ. Mich! mich selbst! – Oder ich muss von Stund an alle Absicht auf Emilien aufgeben –

MARINELLI *(höchst gleichgültig).* Was Sie auch gemusst hätten – wenn der Graf noch lebte. –

DER PRINZ *(heftig, aber sich gleich wieder fassend).* Marinelli! – Doch, Sie sollen mich nicht wild machen. – Es sei so – Es ist so! Und das wollen Sie doch nur sagen: der Tod des Grafen ist für mich ein Glück – das größte Glück, was mir begegnen konnte, – das einzige Glück, was meiner Liebe zustatten kommen konnte. Und als dieses, – mag er doch geschehen sein, wie er will! – Ein Graf mehr in der Welt, oder weniger! Denke ich Ihnen so recht? – Topp! auch ich erschrecke vor einem kleinen Verbrechen nicht. Nur, guter Freund, muss es ein kleines stilles Verbrechen, ein kleines heilsames Verbrechen sein. Und sehen Sie, unseres da, wäre nun gerade weder stille noch heilsam. Es hätte den Weg zwar gereiniget, aber zugleich gesperrt. Jedermann würde es uns auf den Kopf zusagen, – und leider hätten wir es gar nicht einmal begangen! – Das liegt doch wohl nur bloß an Ihren weisen, wunderbaren Anstalten?

MARINELLI. Wenn Sie so befehlen –

DER PRINZ. Woran sonst? – Ich will Rede!

25 **Topp!:** Zugegeben | 33 f. **Anstalten:** Vorkehrungen, Aktivitäten | 36 **Ich will Rede!:** Ich will eine Erklärung, eine Rechtfertigung

MARINELLI. Es kömmt mehr auf meine Rechnung, was nicht darauf gehört.

DER PRINZ. Rede will ich!

MARINELLI. Nun dann! Was läge an meinen Anstalten? dass den Prinzen bei diesem Unfalle ein so sichtbarer Verdacht trifft? – An dem Meisterstreiche liegt das, den er selbst meinen Anstalten mit einzumengen die Gnade hatte.

DER PRINZ. Ich?

MARINELLI. Er erlaube mir, ihm zu sagen, dass der Schritt, den er heute Morgen in der Kirche getan, – mit so vielem Anstande er ihn auch getan – so unvermeidlich er ihn auch tun musste – dass dieser Schritt dennoch nicht in den Tanz gehörte.

DER PRINZ. Was verdarb er denn auch?

MARINELLI. Freilich nicht den ganzen Tanz: aber doch voritzo den Takt.

DER PRINZ. Hm! Versteh ich Sie?

MARINELLI. Also, kurz und einfältig. Da ich die Sache übernahm, nicht wahr, da wusste Emilia von der Liebe des Prinzen noch nichts? Emiliens Mutter noch weniger. Wenn ich nun auf diesen Umstand baute? und der Prinz indes den Grund meines Gebäudes untergrub? –

DER PRINZ *(sich vor die Stirne schlagend)*. Verwünscht!

MARINELLI. Wenn er es nun selbst verriet, was er im Schilde führe?

DER PRINZ. Verdammter Einfall!

MARINELLI. Und wenn er es nicht selbst verraten hätte? – Traun! ich möchte doch wissen, aus welcher meiner Anstalten, Mutter oder Tochter den geringsten Argwohn gegen ihn schöpfen könnte?

DER PRINZ. Dass Sie Recht haben!

MARINELLI. Daran tu ich freilich sehr unrecht – Sie werden verzeihen, gnädiger Herr –

6 **Meisterstreiche:** (scheinbar) genialen Einfall | 13 **Tanz:** hier: Plan | 15 f. **voritzo:** vorerst, jetzt | 18 **einfältig:** einfach | 24 f. **im Schilde führe:** plane, vorhabe | 28 **Traun!:** Wahrhaftig!

Zweiter Auftritt

BATTISTA. DER PRINZ. MARINELLI.

BATTISTA *(eiligst).* Eben kömmt die Gräfin an.
DER PRINZ. Die Gräfin? Was für eine Gräfin?
BATTISTA. Orsina. 5
DER PRINZ. Orsina? – Marinelli! – Orsina? – Marinelli!
MARINELLI. Ich erstaune darüber, nicht weniger als Sie selbst.
DER PRINZ. Geh, lauf, Battista: sie soll nicht aussteigen. Ich bin nicht hier. Ich bin für sie nicht hier. Sie soll augen- 10 blicklich wieder umkehren. Geh, lauf! – *(Battista geht ab.)* Was will die Närrin? Was untersteht sie sich? Wie weiß sie, dass wir hier sind? Sollte sie wohl auf Kundschaft kommen? Sollte sie wohl schon etwas vernommen ha- ben? – Ah, Marinelli! So reden Sie, so antworten Sie 15 doch! – Ist er beleidiget der Mann, der mein Freund sein will? Und durch einen elenden Wortwechsel beleidiget? Soll ich ihn um Verzeihung bitten?
MARINELLI. Ah, mein Prinz, sobald Sie wieder Sie sind, bin ich mit ganzer Seele wieder der Ihrige! – Die Ankunft der 20 Orsina ist mir ein Rätsel, wie Ihnen. Doch abweisen wird sie schwerlich sich lassen. Was wollen Sie tun?
DER PRINZ. Sie durchaus nicht sprechen; mich entfernen –
MARINELLI. Wohl! und nur geschwind. Ich will sie empfan- gen – 25
DER PRINZ. Aber bloß, um sie gehen zu heißen. – Weiter ge- ben Sie mit ihr sich nicht ab. Wir haben andere Dinge hier zu tun –
MARINELLI. Nicht doch, Prinz! Diese andern Dinge sind ge- tan. Fassen Sie doch Mut! Was noch fehlt, kömmt sicher- 30 lich von selbst. – Aber hör ich sie nicht schon? – Eilen Sie, Prinz! – Da, *(auf ein Kabinett zeigend, in welches sich der Prinz begibt)* wenn Sie wollen, werden Sie uns hören kön- nen. – Ich fürchte, ich fürchte, sie ist nicht zu ihrer besten Stunde ausgefahren. 35

13 **auf Kundschaft:** um zu kundschaften, auszuspionieren | 17 **elenden Wortwechsel:** unbedeutenden, unwichtigen Wortwechsel | 26 **um sie gehen zu heißen:** um ihr zu sagen, dass sie gehen soll | 34 f. **nicht zu ihrer besten Stunde:** nicht in bester Verfassung

Dritter Auftritt

DIE GRÄFIN ORSINA. MARINELLI.

ORSINA *(ohne den Marinelli anfangs zu erblicken).* Was ist das? – Niemand kömmt mir entgegen, außer ein Unverschämter, der mir lieber gar den Eintritt verweigert hätte? – Ich bin doch zu Dosalo? Zu dem Dosalo, wo mir sonst ein ganzes Heer geschäftiger Augendiener entgegenstürzte? wo mich sonst Liebe und Entzücken erwarteten? – Der Ort ist es: aber, aber! – Sieh da, Marinelli! – Recht gut, dass der Prinz Sie mitgenommen. – Nein, nicht gut! Was ich mit ihm auszumachen hätte, hätte ich nur mit ihm auszumachen. – Wo ist er?

MARINELLI. Der Prinz, meine gnädige Gräfin?

ORSINA. Wer sonst?

MARINELLI. Sie vermuten ihn also hier? wissen ihn hier? – Er wenigstens ist der Gräfin Orsina hier nicht vermutend.

ORSINA. Nicht? So hat er meinen Brief heute Morgen nicht erhalten?

MARINELLI. Ihren Brief? Doch ja; ich erinnere mich, dass er eines Briefes von Ihnen erwähnte.

ORSINA. Nun? habe ich ihn nicht in diesem Briefe auf heute um eine Zusammenkunft hier auf Dosalo gebeten? – Es ist wahr, es hat ihm nicht beliebet, mir schriftlich zu antworten. Aber ich erfuhr, dass er eine Stunde darauf wirklich nach Dosalo abgefahren. Ich glaubte, das sei Antworts genug; und ich komme.

MARINELLI. Ein sonderbarer Zufall!

ORSINA. Zufall? – Sie hören ja, dass es verabredet worden. So gut, als verabredet. Von meiner Seite, der Brief: von seiner, die Tat. – Wie er dasteht, der Herr Marchese! Was er für Augen macht! Wundert sich das Gehirnchen? und worüber denn?

MARINELLI. Sie schienen gestern so weit entfernt, dem Prinzen jemals wieder vor die Augen zu kommen.

6 **zu:** in | 7 **Augendiener:** Schmeichler

ORSINA. Bessrer Rat kömmt über Nacht. – Wo ist er? wo ist er? – Was gilt's, er ist in dem Zimmer, wo ich das Gequicke, das Gekreusche hörte? – Ich wollte herein, und der Schurke vom Bedienten trat vor.

MARINELLI. Meine liebste, beste Gräfin – 5

ORSINA. Es war ein weibliches Gekreusche. Was gilt's, Marinelli? – O sagen Sie mir doch, sagen Sie mir – wenn ich anders Ihre liebste, beste Gräfin bin – Verdammt, über das Hofgeschmeiß! So viel Worte, so viel Lügen! – Nun was liegt daran, ob Sie mir es voraus sagen, oder nicht? 10 Ich werd es ja wohl sehen. *(Will gehen.)*

MARINELLI *(der sie zurückhält).* Wohin?

ORSINA. Wo ich längst sein sollte. – Denken Sie, dass es schicklich ist, mit Ihnen hier in dem Vorgemache einen elenden Schnickschnack zu halten, indes der Prinz in dem 15 Gemache auf mich wartet?

MARINELLI. Sie irren sich, gnädige Gräfin. Der Prinz erwartet Sie nicht. Der Prinz kann Sie hier nicht sprechen, – will Sie nicht sprechen.

ORSINA. Und wäre doch hier? und wäre doch auf meinen 20 Brief hier?

MARINELLI. Nicht auf Ihren Brief –

ORSINA. Den er ja erhalten, sagen Sie –

MARINELLI. Erhalten, aber nicht gelesen.

ORSINA *(heftig).* Nicht gelesen? – *(Minder heftig.)* Nicht gele- 25 sen? – *(Wehmütig, und eine Träne aus dem Auge wischend.)* Nicht einmal gelesen?

MARINELLI. Aus Zerstreuung, weiß ich. – Nicht aus Verachtung.

ORSINA *(stolz).* Verachtung? – Wer denkt daran? – Wem 30 brauchen Sie das zu sagen? – Sie sind ein unverschämter Tröster, Marinelli! – Verachtung! Verachtung! Mich verachtet man auch! mich! – *(Gelinder, bis zum Tone der Schwermut.)* Freilich liebt er mich nicht mehr. Das ist ausgemacht. Und an die Stelle der Liebe trat in seiner Seele 35 etwas anders. Das ist natürlich. Aber warum denn eben

2 f. **das Gequicke, das Gekreusche:** das Gequieke, das Gekreische | 9 **Hofgeschmeiß:** Geschmeiß: Ungeziefer; hier: widerliche Hofgesellschaft | 14 **Vorgemache:** Vorzimmer | 15 **Schnickschnack:** überflüssiges Gerede

Verachtung? Es braucht ja nur Gleichgültigkeit zu sein. Nicht wahr, Marinelli?

MARINELLI. Allerdings, allerdings.

ORSINA *(höhnisch)*. Allerdings? – O des weisen Mannes, den
5 man sagen lassen kann, was man will! – Gleichgültigkeit! Gleichgültigkeit an die Stelle der Liebe? – Das heißt, Nichts an die Stelle von Etwas. Denn lernen Sie, nachplauderndes Hofmännchen, lernen Sie von einem Weibe, dass Gleichgültigkeit ein leeres Wort, ein bloßer Schall ist,
10 dem nichts, gar nichts entspricht. Gleichgültig ist die Seele nur gegen das, woran sie nicht denkt; nur gegen ein Ding, das für sie kein Ding ist. Und nur gleichgültig für ein Ding, das kein Ding ist, – das ist so viel, als gar nicht gleichgültig. – Ist dir das zu hoch, Mensch?

15 MARINELLI *(vor sich)*. O weh! wie wahr ist es, was ich fürchtete!

ORSINA. Was murmeln Sie da?

MARINELLI. Lauter Bewunderung! – Und wem ist es nicht bekannt, gnädige Gräfin, dass Sie eine Philosophin sind?

20 ORSINA. Nicht wahr? – Ja, ja; ich bin eine. – Aber habe ich mir es itzt merken lassen, dass ich eine bin? – O pfui, wenn ich mir es habe merken lassen; und wenn ich mir es öfterer habe merken lassen! Ist es wohl noch Wunder, dass mich der Prinz verachtet? Wie kann ein Mann ein
25 Ding lieben, das, ihm zum Trotze, auch denken will? Ein Frauenzimmer, das denket, ist ebenso ekel als ein Mann, der sich schminket. Lachen soll es, nichts als lachen, um immerdar den gestrengen Herrn der Schöpfung bei guter Laune zu erhalten. – Nun, worüber lach ich denn gleich,
30 Marinelli? – Ach, jawohl! Über den Zufall! dass ich dem Prinzen schreibe, er soll nach Dosalo kommen; dass der Prinz meinen Brief nicht lieset, und dass er doch nach Dosalo kömmt. Ha! ha! ha! Wahrlich ein sonderbarer Zufall! Sehr lustig, sehr närrisch! – Und Sie lachen nicht
35 mit, Marinelli? – Mitlachen kann ja wohl der gestrenge Herr der Schöpfung, ob wir arme Geschöpfe gleich nicht

4 **O des weisen Mannes:** Gut, dass es einen weisen Mann gibt; alter Genitiv | 21 **merken:** anmerken | 23 **Ist es wohl noch Wunder:** Ist es da verwunderlich | 26 **Frauenzimmer:** Frau | 26 **ekel:** ekelhaft | 36 **ob:** hier: obwohl

mitdenken dürfen. – *(Ernsthaft und befehlend.)* So lachen Sie doch!

MARINELLI. Gleich, gnädige Gräfin, gleich!

ORSINA. Stock! Und darüber geht der Augenblick vorbei. Nein, nein, lachen Sie nur nicht. – Denn sehen Sie, Marinelli, *(nachdenkend bis zur Rührung)* was mich so herzlich zu lachen macht, das hat auch seine ernsthafte – sehr ernsthafte Seite. Wie alles in der Welt! – Zufall? Ein Zufall wär es, dass der Prinz nicht daran gedacht, mich hier zu sprechen, und mich doch hier sprechen muss? Ein Zufall? – Glauben Sie mir, Marinelli: das Wort Zufall ist Gotteslästerung. Nichts unter der Sonne ist Zufall; – am wenigsten das, wovon die Absicht so klar in die Augen leuchtet. – Allmächtige, allgütige Vorsicht, vergib mir, dass ich mit diesem albernen Sünder einen Zufall genennet habe, was so offenbar dein Werk, wohl gar dein unmittelbares Werk ist! – *(Hastig gegen Marinelli.)* Kommen Sie mir, und verleiten Sie mich noch einmal zu so einem Frevel!

MARINELLI *(vor sich).* Das geht weit! – Aber gnädige Gräfin –

ORSINA. Still mit dem Aber! Die Aber kosten Überlegung: – und mein Kopf! mein Kopf! *(Sich mit der Hand die Stirne haltend.)* – Machen Sie, Marinelli, machen Sie, dass ich ihn bald spreche, den Prinzen; sonst bin ich es wohl gar nicht imstande. – Sie sehen, wir sollen uns sprechen; wir müssen uns sprechen –

Vierter Auftritt

DER PRINZ. ORSINA. MARINELLI.

DER PRINZ *(indem er aus dem Kabinette tritt, vor sich).* Ich muss ihm zu Hülfe kommen –

ORSINA *(die ihn erblickt, aber unentschlüssig bleibt, ob sie auf ihn zugehen soll).* Ha! da ist er.

4 **Stock!:** von ›Baumstumpf‹; stumpfer, roher Mensch | 14 **Vorsicht:** hier: Vorsehung | 17 f. **Kommen Sie mir:** Kommen Sie mir zu Hilfe | 19 **Frevel:** Verfehlung | 25 f. **es … imstande:** dazu imstande | 32 **unentschlüssig:** unentschlossen

DER PRINZ *(geht quer über den Saal, bei ihr vorbei, nach den andern Zimmern, ohne sich im Reden aufzuhalten).* Sieh da! unsere schöne Gräfin. – Wie sehr betaure ich, Madame, dass ich mir die Ehre Ihres Besuchs für heute so wenig zunutze machen kann! Ich bin beschäftiget. Ich bin nicht allein. – Ein andermal, meine liebe Gräfin! Ein andermal. – Itzt halten Sie länger sich nicht auf. Ja nicht länger! – Und Sie, Marinelli, ich erwarte Sie. –

Fünfter Auftritt

ORSINA. MARINELLI.

MARINELLI. Haben Sie es, gnädige Gräfin, nun von ihm selbst gehört, was Sie mir nicht glauben wollen?

ORSINA *(wie betäubt).* Hab ich? hab ich wirklich?

MARINELLI. Wirklich.

ORSINA *(mit Rührung).* »Ich bin beschäftiget. Ich bin nicht allein.« Ist das die Entschuldigung ganz, die ich wert bin? Wen weiset man damit nicht ab? Jeden Überlästigen, jeden Bettler. Für mich keine einzige Lüge mehr? Keine einzige kleine Lüge mehr, für mich? – Beschäftiget? womit denn? Nicht allein? wer wäre denn bei ihm? – Kommen Sie, Marinelli; aus Barmherzigkeit, lieber Marinelli! Lügen Sie mir eines auf eigene Rechnung vor. Was kostet Ihnen denn eine Lüge? – Was hat er zu tun? Wer ist bei ihm? – Sagen Sie mir; sagen Sie mir, was Ihnen zuerst in den Mund kömmt, – und ich gehe.

MARINELLI *(vor sich).* Mit dieser Bedingung, kann ich ihr ja wohl einen Teil der Wahrheit sagen.

ORSINA. Nun? Geschwind, Marinelli; und ich gehe. – Er sagte ohnedem, der Prinz: »Ein andermal, meine liebe Gräfin!« Sagte er nicht so? – Damit er mir Wort hält, damit er keinen Vorwand hat, mir nicht Wort zu halten: geschwind, Marinelli, Ihre Lüge; und ich gehe.

MARINELLI. Der Prinz, liebe Gräfin, ist wahrlich nicht allein. Es sind Personen bei ihm, von denen er sich keinen

1 **quer über:** quer durch | 3 **betaure:** bedaure | 17 **Überlästigen:** zu lästig Gewordenen

Augenblick abmüßigen kann; Personen, die eben einer großen Gefahr entgangen sind. Der Graf Appiani –

ORSINA. Wäre bei ihm? – Schade, dass ich über diese Lüge Sie ertappen muss. Geschwind eine andere. – Denn Graf Appiani, wenn Sie es noch nicht wissen, ist eben von Räubern erschossen worden. Der Wagen mit seinem Leichname begegnete mir kurz vor der Stadt. – Oder ist er nicht? Hätte es mir bloß geträumet?

MARINELLI. Leider nicht bloß geträumet! – Aber die andern, die mit dem Grafen waren, haben sich glücklich hieher nach dem Schlosse gerettet: seine Braut nämlich, und die Mutter der Braut, mit welchen er nach Sabionetta zu seiner feierlichen Verbindung fahren wollte.

ORSINA. Also die? Die sind bei dem Prinzen? die Braut? und die Mutter der Braut? – Ist die Braut schön?

MARINELLI. Dem Prinzen geht ihr Unfall ungemein nahe.

ORSINA. Ich will hoffen; auch wenn sie hässlich wäre. Denn ihr Schicksal ist schrecklich. – Armes, gutes Mädchen, eben da er dein auf immer werden sollte, wird er dir auf immer entrissen! – Wer ist sie denn, diese Braut? Kenn ich sie gar? – Ich bin so lange aus der Stadt, dass ich von nichts weiß.

MARINELLI. Es ist Emilia Galotti.

ORSINA. Wer? – Emilia Galotti? Emilia Galotti? – Marinelli! dass ich diese Lüge nicht für Wahrheit nehme!

MARINELLI. Wieso?

ORSINA. Emilia Galotti?

MARINELLI. Die Sie schwerlich kennen werden –

ORSINA. Doch! doch! Wenn es auch nur von heute wäre. – Im Ernst, Marinelli? Emilia Galotti? – Emilia Galotti wäre die unglückliche Braut, die der Prinz tröstet?

MARINELLI *(vor sich)*. Sollte ich ihr schon zu viel gesagt haben?

ORSINA. Und Graf Appiani war der Bräutigam dieser Braut? der eben erschossene Appiani?

MARINELLI. Nicht anders.

1 **abmüßigen:** entfernen | 10 **hieher:** hierher | 16 **Unfall:** hier: Unglück

ORSINA. Bravo! o bravo! bravo! *(In die Hände schlagend.)*
MARINELLI. Wie das?
ORSINA. Küssen möcht ich den Teufel, der ihn dazu verleitet hat!
5 MARINELLI. Wen? verleitet? wozu?
ORSINA. Ja, küssen, küssen möcht ich ihn – Und wenn Sie selbst dieser Teufel wären, Marinelli.
MARINELLI. Gräfin!
ORSINA. Kommen Sie her! Sehen Sie mich an! steif an! Aug
10 in Auge!
MARINELLI. Nun?
ORSINA. Wissen Sie nicht, was ich denke?
MARINELLI. Wie kann ich das?
ORSINA. Haben Sie keinen Anteil daran?
15 MARINELLI. Woran?
ORSINA. Schwören Sie! – Nein, schwören Sie nicht. Sie möchten eine Sünde mehr begehen – Oder ja; schwören Sie nur. Eine Sünde mehr oder weniger für einen, der doch verdammt ist! – Haben Sie keinen Anteil daran?
20 MARINELLI. Sie erschrecken mich, Gräfin.
ORSINA. Gewiss? – Nun, Marinelli, argwohnet Ihr gutes Herz auch nichts?
MARINELLI. Was? worüber?
ORSINA. Wohl, – so will ich Ihnen etwas vertrauen; – etwas,
25 das Ihnen jedes Haar auf dem Kopfe zu Berge sträuben soll. – Aber hier, so nahe an der Türe, möchte uns jemand hören. Kommen Sie hierher. – Und! *(Indem sie den Finger auf den Mund legt.)* Hören Sie! ganz in geheim! ganz in geheim! *(Und ihren Mund seinem Ohre nähert, als ob sie*
30 *ihm zuflüstern wollte, was sie aber sehr laut ihm zuschreiet.)* Der Prinz ist ein Mörder!
MARINELLI. Gräfin, – Gräfin – sind Sie ganz von Sinnen?
ORSINA. Von Sinnen? Ha! ha! ha! *(Aus vollem Halse lachend.)* Ich bin selten, oder nie, mit meinem Verstande so wohl
35 zufrieden gewesen, als eben itzt. – Zuverlässig, Marinelli; – aber es bleibt unter uns – *(leise)* der Prinz ist ein Mör-

9 **steif:** fest, direkt | 17 **möchten:** könnten | 28 **in geheim:** im Geheimen | 35 **Zuverlässig:** Sicher, ganz gewiss

der! des Grafen Appiani Mörder! – Den haben nicht Räuber, den haben Helfershelfer des Prinzen, den hat der Prinz umgebracht!

MARINELLI. Wie kann Ihnen so eine Abscheulichkeit in den Mund, in die Gedanken kommen? 5

ORSINA. Wie? – Ganz natürlich. – Mit dieser Emilia Galotti, die hier bei ihm ist, – deren Bräutigam so über Hals über Kopf sich aus der Welt trollen müssen, – mit dieser Emilia Galotti hat der Prinz heute Morgen, in der Halle bei den Dominikanern, ein Langes und Breites gesprochen. 10 Das weiß ich; das haben meine Kundschafter gesehen. Sie haben auch gehört, was er mit ihr gesprochen. – Nun, guter Herr? Bin ich von Sinnen? Ich reime, dächt ich, doch noch so ziemlich zusammen, was zusammen gehört. – Oder trifft auch das nur so von ungefähr zu? Ist Ihnen 15 auch das Zufall? O, Marinelli, so verstehen Sie auf die Bosheit der Menschen sich ebenso schlecht, als auf die Vorsicht.

MARINELLI. Gräfin, Sie würden sich um den Hals reden –

ORSINA. Wenn ich das mehrern sagte? – Desto besser, desto 20 besser! – Morgen will ich es auf dem Markte ausrufen. – Und wer mir widerspricht – wer mir widerspricht, der war des Mörders Spießgeselle. – Leben Sie wohl. *(Indem sie fortgehen will, begegnet sie an der Türe dem alten Galotti, der eiligst hereintritt.)* 25

Sechster Auftritt

ODOARDO GALOTTI. DIE GRÄFIN. MARINELLI.

ODOARDO. Verzeihen Sie, gnädige Frau –

ORSINA. Ich habe hier nichts zu verzeihen. Denn ich habe hier nichts übel zu nehmen – An diesen Herrn wenden 30 Sie sich. *(Ihn nach dem Marinelli weisend.)*

MARINELLI *(indem er ihn erblicket, vor sich)*. Nun vollends! der Alte! –

8 **sich … trollen:** die Welt verlassen, sterben | 10 **ein Langes und Breites:** ausführlich | 18 **Vorsicht:** hier: Vorsehung | 19 **um den Hals reden:** um Kopf und Kragen reden, durch das eigene Reden den Tod riskieren | 23 **Spießgeselle:** Komplize, urspr. Waffenbruder | 32 **Nun vollends!:** Auch das noch!

ODOARDO. Vergeben Sie, mein Herr, einem Vater, der in der äußersten Bestürzung ist, – dass er so unangemeldet hereintritt.

ORSINA. Vater? *(Kehrt wieder um.)* Der Emilia, ohne Zweifel.
5 – Ha, willkommen!

ODOARDO. Ein Bedienter kam mir entgegengesprengt, mit der Nachricht, dass hierherum die Meinigen in Gefahr wären. Ich fliege herzu, und höre, dass der Graf Appiani verwundet worden; dass er nach der Stadt zurückgekeh-
10 ret; dass meine Frau und Tochter sich in das Schloss gerettet. – Wo sind sie, mein Herr? wo sind sie?

MARINELLI. Sein Sie ruhig, Herr Oberster. Ihrer Gemahlin und Ihrer Tochter ist nichts Übels widerfahren; den Schreck ausgenommen. Sie befinden sich beide wohl. Der
15 Prinz ist bei ihnen. Ich gehe sogleich, Sie zu melden.

ODOARDO. Warum melden? erst melden?

MARINELLI. Aus Ursachen – von wegen – Von wegen des Prinzen. Sie wissen, Herr Oberster, wie Sie mit dem Prinzen stehen. Nicht auf dem freundschaftlichsten Fuße.
20 So gnädig er sich gegen Ihre Gemahlin und Tochter bezeiget: – es sind Damen – Wird darum auch Ihr unvermuteter Anblick ihm gelegen sein?

ODOARDO. Sie haben Recht, mein Herr; Sie haben Recht.

MARINELLI. Aber, gnädige Gräfin, – kann ich vorher die
25 Ehre haben, Sie nach Ihrem Wagen zu begleiten?

ORSINA. Nicht doch, nicht doch.

MARINELLI *(sie bei der Hand nicht unsanft ergreifend)*. Erlauben Sie, dass ich meine Schuldigkeit beobachte. –

ORSINA. Nur gemach! – Ich erlasse Sie deren, mein Herr. –
30 Dass doch immer Ihresgleichen Höflichkeit zur Schuldigkeit machen; um was eigentlich ihre Schuldigkeit wäre, als die Nebensache betreiben zu dürfen! – Diesen würdigen Mann je eher je lieber zu melden, das ist Ihre Schuldigkeit.

35 MARINELLI. Vergessen Sie, was Ihnen der Prinz selbst befohlen?

7 **hierherum:** in dieser Gegend | 8 **Ich fliege herzu:** Ich eile herbei | 28 **meine Schuldigkeit beobachte:** meiner gesellschaftlichen Pflicht nachkomme | 29 **Nur gemach!:** Immer langsam! Gemächlich! | 29 **Ich erlasse Sie deren:** Ich befreie Sie davon

ORSINA. Er komme, und befehle es mir noch einmal. Ich erwarte ihn.

MARINELLI *(leise zu dem Obersten, den er beiseite ziehet).* Mein Herr, ich muss Sie hier mit einer Dame lassen, die – der – mit deren Verstande – Sie verstehen mich. Ich sage Ihnen dieses, damit Sie wissen, was Sie auf ihre Reden zu geben haben, – deren sie oft sehr seltsame führet. Am besten, Sie lassen sich mit ihr nicht ins Wort.

ODOARDO. Recht wohl. – Eilen Sie nur, mein Herr.

Siebenter Auftritt

DIE GRÄFIN ORSINA. ODOARDO GALOTTI.

ORSINA *(nach einigem Stillschweigen, unter welchem sie den Obersten mit Mitleid betrachtet; so wie er sie, mit einer flüchtigen Neugierde).* Was er Ihnen auch da gesagt hat, unglücklicher Mann! –

ODOARDO *(halb vor sich, halb gegen sie).* Unglücklicher?

ORSINA. Eine Wahrheit war es gewiss nicht; – am wenigsten eine von denen, die auf Sie warten.

ODOARDO. Auf mich warten? – Weiß ich nicht schon genug? – Madame! – Aber, reden Sie nur, reden Sie nur.

ORSINA. Sie wissen nichts.

ODOARDO. Nichts?

ORSINA. Guter, lieber Vater! – Was gäbe ich darum, wann Sie auch mein Vater wären! – Verzeihen Sie! die Unglücklichen ketten sich so gern aneinander. – Ich wollte treulich Schmerz und Wut mit Ihnen teilen.

ODOARDO. Schmerz und Wut? Madame! – Aber ich vergesse – Reden Sie nur.

ORSINA. Wenn es gar Ihre einzige Tochter – Ihr einziges Kind wäre! – Zwar einzig, oder nicht. Das unglückliche Kind, ist immer das einzige.

ODOARDO. Das unglückliche? – Madame! – Was will ich von ihr? – Doch, bei Gott, so spricht keine Wahnwitzige!

8 **lassen … ins Wort:** auf kein Gespräch einlassen | 23 **wann:** wenn; vgl. Anm. zu 22,3 | 33 **Wahnwitzige:** Verrückte; »Witz« urspr.: ›Verstand‹, ›Scharfsinn‹; hier also jemand, dessen Scharfsinn vom Wahn zerstört wurde

ORSINA. Wahnwitzige? Das war es also, was er Ihnen von mir vertraute? – Nun, nun; es mag leicht keine von seinen gröbsten Lügen sein. – Ich fühle so was! – Und glauben Sie, glauben Sie mir: wer über gewisse Dinge den Ver-
5 stand nicht verlieret, der hat keinen zu verlieren. –

ODOARDO. Was soll ich denken?

ORSINA. Dass Sie mich also ja nicht verachten! – Denn auch Sie haben Verstand, guter Alter; auch Sie. – Ich seh es an dieser entschlossenen, ehrwürdigen Miene. Auch Sie ha-
10 ben Verstand; und es kostet mich ein Wort, – so haben Sie keinen.

ODOARDO. Madame! – Madame! – Ich habe schon keinen mehr, noch ehe Sie mir dieses Wort sagen, wenn Sie mir es nicht bald sagen. – Sagen Sie es! sagen Sie es! – Oder
15 es ist nicht wahr, – es ist nicht wahr, dass Sie von jener guten, unsers Mitleids, unserer Hochachtung so würdigen Gattung der Wahnwitzigen sind – Sie sind eine gemeine Törin. Sie haben nicht, was Sie nie hatten.

ORSINA. So merken Sie auf! – Was wissen Sie, der Sie schon
20 genug wissen wollen? Dass Appiani verwundet worden? Nur verwundet? – Appiani ist tot!

ODOARDO. Tot? tot? – Ha, Frau, das ist wider die Abrede. Sie wollten mich um den Verstand bringen: und Sie brechen mir das Herz.

25 ORSINA. Das beiher! – Nur weiter. – Der Bräutigam ist tot: und die Braut – Ihre Tochter – schlimmer als tot.

ODOARDO. Schlimmer? schlimmer als tot? – Aber doch zugleich, auch tot? – Denn ich kenne nur Ein Schlimmeres –

30 ORSINA. Nicht zugleich auch tot. Nein, guter Vater, nein! – Sie lebt, sie lebt. Sie wird nun erst recht anfangen zu leben. – Ein Leben voll Wonne! Das schönste, lustigste Schlaraffenleben, – solang es dauert.

ODOARDO. Das Wort, Madame; das einzige Wort, das mich
35 um den Verstand bringen soll! heraus damit! – Schütten

1 f. **von mir vertraute:** über mich anvertraute | 2 **leicht:** vielleicht | 17 f. **gemeine Törin:** Närrin, einfältige Person | 22 **wider die Abrede:** gegen die Abmachung | 25 **beiher:** nebenbei | 33 **Schlaraffenleben:** Leben im Schlaraffenland, dem sagenhaften Land der Faulenzer und Genießer

Sie nicht Ihren Tropfen Gift in einen Eimer. – Das einzige Wort! geschwind.

ORSINA. Nun da; buchstabieren Sie es zusammen! – Des Morgens, sprach der Prinz Ihre Tochter in der Messe; des Nachmittags, hat er sie auf seinem Lust- – Lustschlosse. 5

ODOARDO. Sprach sie in der Messe? Der Prinz meine Tochter?

ORSINA. Mit einer Vertraulichkeit! mit einer Inbrunst! – Sie hatten nichts Kleines abzureden. Und recht gut, wenn es abgeredet worden; recht gut, wenn Ihre Tochter freiwillig 10 sich hierher gerettet! Sehen Sie: so ist es doch keine gewaltsame Entführung; sondern bloß ein kleiner – kleiner Meuchelmord.

ODOARDO. Verleumdung! verdammte Verleumdung! Ich kenne meine Tochter. Ist es Meuchelmord: so ist es auch 15 Entführung. – *(Blickt wild um sich, und stampft, und schäumet.)* Nun, Claudia? Nun, Mütterchen? – Haben wir nicht Freude erlebt! O des gnädigen Prinzen! O der ganz besondern Ehre!

ORSINA. Wirkt es, Alter! wirkt es? 20

ODOARDO. Da steh ich nun vor der Höhle des Räubers – *(Indem er den Rock von beiden Seiten auseinanderschlägt, und sich ohne Gewehr sieht.)* Wunder, dass ich aus Eilfertigkeit nicht auch die Hände zurückgelassen! – *(An alle Schubsäcke fühlend, als etwas suchend.)* Nichts! gar nichts! 25 nirgends!

ORSINA. Ha, ich verstehe! – Damit kann ich aushelfen! – Ich hab einen mitgebracht. *(Einen Dolch hervorziehend.)* Da nehmen Sie! Nehmen Sie geschwind, eh uns jemand sieht. – Auch hätte ich noch etwas, – Gift. Aber Gift ist nur für 30 uns Weiber; nicht für Männer. – Nehmen Sie ihn! *(Ihm den Dolch aufdringend.)* Nehmen Sie!

ODOARDO. Ich danke, ich danke. – Liebes Kind, wer wieder sagt, dass du eine Närrin bist, der hat es mit mir zu tun.

ORSINA. Stecken Sie beiseite! geschwind beiseite! – Mir wird 35 die Gelegenheit versagt, Gebrauch davon zu machen. Ih-

8 **Inbrunst:** hier: Innigkeit | 9 **abzureden:** zu verabreden | 13 **Meuchelmord:** geheimer Mord | 16 f. **schäumet:** tobt vor Wut | 22 **Rock von beiden Seiten:** die Rockschöße | 23 **Gewehr:** hier: Waffe, Degen | 23 f. **Eilfertigkeit:** Eile, Hast | 25 **Schubsäcke:** Kleidertaschen

nen wird sie nicht fehlen, diese Gelegenheit: und Sie werden sie ergreifen, die erste, die beste, – wenn Sie ein Mann sind. – Ich, ich bin nur ein Weib: aber so kam ich her! fest entschlossen! – Wir, Alter, wir können uns alles vertrauen. Denn wir sind beide beleidiget; von dem nämlichen Verführer beleidiget. – Ah, wenn Sie wüssten, – wenn Sie wüssten, wie überschwänglich, wie unaussprechlich, wie unbegreiflich ich von ihm beleidiget worden, und noch werde: – Sie könnten, Sie würden Ihre eigene Beleidigung darüber vergessen. – Kennen Sie mich? Ich bin Orsina; die betrogene, verlassene Orsina. – Zwar vielleicht nur um Ihre Tochter verlassen. – Doch was kann Ihre Tochter dafür? – Bald wird auch sie verlassen sein. – Und dann wieder eine! – Und wieder eine! – Ha! *(wie in der Entzückung)* welch eine himmlische Phantasie! Wann wir einmal alle, – wir, das ganze Heer der Verlassenen, – wir alle in Bacchantinnen, in Furien verwandelt, wenn wir alle ihn unter uns hätten, ihn unter uns zerrissen, zerfleischten, sein Eingeweide durchwühlten, – um das Herz zu finden, das der Verräter einer jeden versprach, und keiner gab! Ha! das sollte ein Tanz werden! das sollte!

Achter Auftritt

CLAUDIA GALOTTI. DIE VORIGEN.

CLAUDIA *(die im Hereintreten sich umsiehet, und sobald sie ihren Gemahl erblickt, auf ihn zuflieget).* Erraten! – Ah, unser Beschützer, unser Retter! Bist du da, Odoardo? Bist du da? – Aus ihren Wispern, aus ihren Mienen schloss ich es. – Was soll ich dir sagen, wenn du noch nichts weißt? – Was soll ich dir sagen, wenn du schon alles weißt? – Aber wir sind unschuldig. Ich bin unschuldig. Deine Tochter ist unschuldig. Unschuldig, in allem unschuldig!

ODOARDO *(der sich bei Erblickung seiner Gemahlin zu fassen*

4 f. **vertrauen:** anvertrauen | 12 **um Ihre Tochter:** wegen Ihrer Tochter | 15 **Entzückung:** Ekstase | 15 **Phantasie:** Vorstellung | 17 **Bacchantinnen:** ausgelassene, berauschte Begleiterinnen des antiken Gottes des Weins Bacchus | 17 **Furien:** Rachegöttinnen in der antiken Mythologie

gesucht). Gut, gut. Sei nur ruhig, nur ruhig, – und antworte mir. *(Gegen die Orsina.)* Nicht Madame, als ob ich noch zweifelte – Ist der Graf tot?

CLAUDIA. Tot.

ODOARDO. Ist es wahr, dass der Prinz heute Morgen Emilien in der Messe gesprochen? 5

CLAUDIA. Wahr. Aber wenn du wüsstest, welchen Schreck es ihr verursacht; in welcher Bestürzung sie nach Hause kam –

ORSINA. Nun, hab ich gelogen? 10

ODOARDO *(mit einem bittern Lachen).* Ich wollt' auch nicht, Sie hätten! Um wie vieles nicht!

ORSINA. Bin ich wahnwitzig?

ODOARDO *(wild hin und her gehend).* O, – noch bin ich es auch nicht. 15

CLAUDIA. Du gebotest mir ruhig zu sein; und ich bin ruhig. – Bester Mann, darf auch ich – ich dich bitten –

ODOARDO. Was willst du? Bin ich nicht ruhig? Kann man ruhiger sein, als ich bin? – *(Sich zwingend.)* Weiß es Emilia, dass Appiani tot ist? 20

CLAUDIA. Wissen kann sie es nicht. Aber ich fürchte, dass sie es argwohnet; weil er nicht erscheinet. –

ODOARDO. Und sie jammert und winselt –

CLAUDIA. Nicht mehr. – Das ist vorbei: nach ihrer Art, die du kennest. Sie ist die Furchtsamste und Entschlossenste unsers Geschlechts. Ihrer ersten Eindrücke nie mächtig; aber nach der geringsten Überlegung, in alles sich findend, auf alles gefasst. Sie hält den Prinzen in einer Entfernung; sie spricht mit ihm in einem Tone – Mache nur, Odoardo, dass wir wegkommen. 25 30

ODOARDO. Ich bin zu Pferde. – Was zu tun? – Doch, Madame, Sie fahren ja nach der Stadt zurück?

ORSINA. Nicht anders.

ODOARDO. Hätten Sie wohl die Gewogenheit, meine Frau mit sich zu nehmen? 35

ORSINA. Warum nicht? Sehr gern.

22 **argwohnet:** befürchtet, vermutet | 27 f. **sich findend:** sich fügend, sich abfindend | 32 **nach der Stadt:** in die Stadt

ODOARDO. Claudia, – *(ihr die Gräfin bekannt machend)* die Gräfin Orsina; eine Dame von großem Verstande; meine Freundin, meine Wohltäterin. – Du musst mit ihr herein; um uns sogleich den Wagen herauszuschicken. Emilia
5 darf nicht wieder nach Guastalla. Sie soll mit mir.

CLAUDIA. Aber – wenn nur – Ich trenne mich ungern von dem Kinde.

ODOARDO. Bleibt der Vater nicht in der Nähe? Man wird ihn endlich doch vorlassen. Keine Einwendung! – Kom-
10 men Sie, gnädige Frau. *(Leise zu ihr.)* Sie werden von mir hören. – Komm, Claudia. *(Er führt sie ab.)*

Fünfter Aufzug

Die Szene bleibt.

Erster Auftritt

MARINELLI. DER PRINZ.

MARINELLI. Hier, gnädiger Herr, aus diesem Fenster können Sie ihn sehen. Er geht die Arkade auf und nieder. – Eben biegt er ein; er kömmt. – Nein, er kehrt wieder um. – Ganz einig ist er mit sich noch nicht. Aber um ein Großes ruhiger ist er, – oder scheinet er. Für uns gleichviel! – Natürlich! Was ihm auch beide Weiber in den Kopf gesetzt haben, wird er es wagen zu äußern? – Wie Battista gehört, soll ihm seine Frau den Wagen sogleich heraussenden. Denn er kam zu Pferde. – Geben Sie Acht, wenn er nun vor Ihnen erscheinet, wird er ganz untertänigst Eurer Durchlaucht für den gnädigen Schutz danken, den seine Familie bei diesem so traurigen Zufalle hier gefunden; wird sich, mitsamt seiner Tochter, zu fernerer Gnade empfehlen; wird sie ruhig nach der Stadt bringen, und es in tiefster Unterwerfung erwarten, welchen weitern Anteil Euer Durchlaucht an seinem unglücklichen, lieben Mädchen zu nehmen geruhen wollen.

DER PRINZ. Wenn er nun aber so zahm nicht ist? Und schwerlich, schwerlich wird er es sein. Ich kenne ihn zu gut. – Wenn er höchstens seinen Argwohn erstickt, seine Wut verbeißt: aber Emilien, anstatt sie nach der Stadt zu führen, mit sich nimmt? bei sich behält? oder wohl gar in ein Kloster, außer meinem Gebiete, verschließt? Wie dann?

MARINELLI. Die fürchtende Liebe sieht weit. Wahrlich! – Aber er wird ja nicht –

DER PRINZ. Wenn er nun aber! Wie dann? Was wird es uns dann helfen, dass der unglückliche Graf sein Leben darüber verloren?

6 **Arkade:** offener Bogengang auf Säulen | 16 **Zufalle:** hier: Zwischenfall

MARINELLI. Wozu dieser traurige Seitenblick? Vorwärts! denkt der Sieger: es falle neben ihm Feind oder Freund. – Und wenn auch! Wenn er es auch wollte, der alte Neidhart, was Sie von ihm fürchten, Prinz: – *(Überlegend.)* Das geht! Ich hab es! – Weiter als zum Wollen, soll er es gewiss nicht bringen. Gewiss nicht! – Aber dass wir ihn nicht aus dem Gesichte verlieren. – *(Tritt wieder ans Fenster.)* Bald hätt er uns überrascht! Er kömmt. – Lassen Sie uns ihm noch ausweichen: und hören Sie erst, Prinz, was wir auf den zu befürchtenden Fall tun müssen.

DER PRINZ *(drohend).* Nur, Marinelli! –

MARINELLI. Das Unschuldigste von der Welt!

Zweiter Auftritt

ODOARDO GALOTTI.

Noch niemand hier? – Gut; ich soll noch kälter werden. Es ist mein Glück. – Nichts verächtlicher, als ein brausender Jünglingskopf mit grauen Haaren! Ich hab es mir so oft gesagt. Und doch ließ ich mich fortreißen: und von wem? Von einer Eifersüchtigen; von einer für Eifersucht Wahnwitzigen. – Was hat die gekränkte Tugend mit der Rache des Lasters zu schaffen? Jene allein hab ich zu retten. – Und deine Sache, – mein Sohn! mein Sohn! – Weinen konnt ich nie; – und will es nun nicht erst lernen – Deine Sache wird ein ganz anderer zu seiner machen! Genug für mich, wenn dein Mörder die Frucht seines Verbrechens nicht genießt. – Dies martere ihn mehr, als das Verbrechen! Wenn nun bald ihn Sättigung und Eckel von Lüsten zu Lüsten treiben; so vergälle die Erinnerung, diese eine Lust nicht gebüßet zu haben, ihm den Genuss aller! In jedem Traume führe der blutige Bräutigam ihm die Braut vor das Bette; und wann er dennoch den wollüstigen Arm nach ihr ausstreckt: so höre er plötzlich das Hohngelächter der Hölle, und erwache!

3 f. **Neidhart:** urspr.: streitbarer Kämpfer; hier: neidischer Mensch | 7 **aus dem Gesichte:** aus dem Blick | 15 **kälter:** ruhiger | 19 **für Eifersucht:** hier: vor Eifersucht | 26 **martere:** quäle | 27 **Eckel:** Ekel | 29 **gebüßet:** befriedigt

Dritter Auftritt

MARINELLI. ODOARDO GALOTTI.

MARINELLI. Wo blieben Sie, mein Herr? wo blieben Sie?
ODOARDO. War meine Tochter hier?
MARINELLI. Nicht sie: aber der Prinz. 5
ODOARDO. Er verzeihe. – Ich habe die Gräfin begleitet.
MARINELLI. Nun?
ODOARDO. Die gute Dame!
MARINELLI. Und Ihre Gemahlin?
ODOARDO. Ist mit der Gräfin; – um uns den Wagen sogleich 10
herauszusenden. Der Prinz vergönne nur, dass ich mich so lange mit meiner Tochter noch hier verweile.
MARINELLI. Wozu diese Umstände? Würde sich der Prinz nicht ein Vergnügen daraus gemacht haben, sie beide, Mutter und Tochter, selbst nach der Stadt zu bringen? 15
ODOARDO. Die Tochter wenigstens würde diese Ehre haben verbitten müssen.
MARINELLI. Wieso?
ODOARDO. Sie soll nicht mehr nach Guastalla.
MARINELLI. Nicht? und warum nicht? 20
ODOARDO. Der Graf ist tot.
MARINELLI. Um so viel mehr –
ODOARDO. Sie soll mit mir.
MARINELLI. Mit Ihnen?
ODOARDO. Mit mir. Ich sage Ihnen ja, der Graf ist tot. – 25
Wenn Sie es noch nicht wissen – Was hat sie nun weiter in Guastalla zu tun? – Sie soll mit mir.
MARINELLI. Allerdings wird der künftige Aufenthalt der Tochter einzig von dem Willen des Vaters abhangen. Nur vors Erste – 30
ODOARDO. Was vors Erste?
MARINELLI. Werden Sie wohl erlauben müssen, Herr Oberster, dass sie nach Guastalla gebracht wird.
ODOARDO. Meine Tochter? nach Guastalla gebracht wird? und warum? 35

11 **vergönne:** gewähre, erlaube | 16 f. **würde diese Ehre haben verbitten müssen:** muss diese Ehre verweigern | 29 **abhangen:** abhängen | 30 **vors Erste:** fürs erste, zunächst

MARINELLI. Warum? Erwägen Sie doch nur –
ODOARDO *(hitzig)*. Erwägen! erwägen! Ich erwäge, dass hier nichts zu erwägen ist. – Sie soll, sie muss mit mir.
MARINELLI. O mein Herr, – was brauchen wir, uns hierüber
5 zu ereifern? Es kann sein, dass ich mich irre; dass es nicht nötig ist, was ich für nötig halte. – Der Prinz wird es am besten zu beurteilen wissen. Der Prinz entscheide. – Ich geh und hole ihn.

Vierter Auftritt

10 ODOARDO GALOTTI.

Wie? – Nimmermehr! – Mir vorschreiben, wo sie hin soll? – Mir sie vorenthalten? – Wer will das? Wer darf das? – Der hier alles darf, was er will? Gut, gut; so soll er sehen, wie viel auch ich darf, ob ich es schon nicht dürfte!
15 Kurzsichtiger Wüterich! Mit dir will ich es wohl aufnehmen. Wer kein Gesetz achtet, ist ebenso mächtig, als wer kein Gesetz hat. Das weißt du nicht? Komm an! komm an! – Aber, sieh da! Schon wieder; schon wieder rennet der Zorn mit dem Verstande davon. – Was will ich? Erst
20 müsst es doch geschehen sein, worüber ich tobe. Was plaudert nicht eine Hofschranze! Und hätte ich ihn doch nur plaudern lassen! Hätte ich seinen Vorwand, warum sie wieder nach Guastalla soll, doch nur angehört! – So könnte ich mich itzt auf eine Antwort gefasst machen. –
25 Zwar auf welchen kann mir eine fehlen? – Sollte sie mir aber fehlen; sollte sie – Man kömmt. Ruhig, alter Knabe, ruhig!

17 **Komm an!:** Komm nur her! | 21 **Hofschranze:** abwertend für ›Höfling‹ oder jemanden, der am Hof verkehrt

Fünfter Auftritt

DER PRINZ. MARINELLI. ODOARDO GALOTTI.

DER PRINZ. Ah, mein lieber, rechtschaffner Galotti, – so etwas muss auch geschehen, wenn ich Sie bei mir sehen soll. Um ein Geringeres tun Sie es nicht. Doch keine Vorwürfe! 5

ODOARDO. Gnädiger Herr, ich halte es in allen Fällen für unanständig, sich zu seinem Fürsten zu drängen. Wen er kennt, den wird er fodern lassen, wenn er seiner bedarf. Selbst itzt bitte ich um Verzeihung – 10

DER PRINZ. Wie manchem andern wollte ich diese stolze Bescheidenheit wünschen! – Doch zur Sache. Sie werden begierig sein, Ihre Tochter zu sehen. Sie ist in neuer Unruhe, wegen der plötzlichen Entfernung einer so zärtlichen Mutter. – Wozu auch diese Entfernung? Ich wartete nur, 15 dass die liebenswürdige Emilie sich völlig erholet hätte, um beide im Triumphe nach der Stadt zu bringen. Sie haben mir diesen Triumph um die Hälfte verkümmert; aber ganz werde ich mir ihn nicht nehmen lassen.

ODOARDO. Zu viel Gnade! – Erlauben Sie, Prinz, dass ich 20 meinem unglücklichen Kinde alle die mannigfaltigen Kränkungen erspare, die Freund und Feind, Mitleid und Schadenfreude in Guastalla für sie bereit halten.

DER PRINZ. Um die süßen Kränkungen des Freundes und des Mitleids, würde es Grausamkeit sein, sie zu bringen. 25 Dass aber die Kränkungen des Feindes und der Schadenfreude sie nicht erreichen sollen; dafür, lieber Galotti, lassen Sie mich sorgen.

ODOARDO. Prinz, die väterliche Liebe teilet ihre Sorgen nicht gern. – Ich denke, ich weiß es, was meiner Tochter 30 in ihren itzigen Umständen einzig ziemet. – Entfernung aus der Welt; – ein Kloster, – so bald als möglich.

DER PRINZ. Ein Kloster?

ODOARDO. Bis dahin weine sie unter den Augen ihres Vaters. 35

8 unanständig: ungehörig | **9 fodern lassen:** auffordern, vorladen | **18 verkümmert:** hier: verringert | **30 f. was meiner Tochter … ziemet:** was für meine Tochter das Richtige ist

DER PRINZ. So viel Schönheit soll in einem Kloster verblühen? – Darf eine einzige fehlgeschlagene Hoffnung uns gegen die Welt so unversöhnlich machen? – Doch allerdings: dem Vater hat niemand einzureden. Bringen Sie
5 Ihre Tochter, Galotti, wohin Sie wollen.

ODOARDO *(gegen Marinelli).* Nun, mein Herr?

MARINELLI. Wenn Sie mich so gar auffodern! –

ODOARDO. O mitnichten, mitnichten.

DER PRINZ. Was haben Sie beide?

10 ODOARDO. Nichts, gnädiger Herr, nichts. – Wir erwägen bloß, welcher von uns sich in Ihnen geirret hat.

DER PRINZ. Wieso? – Reden Sie, Marinelli.

MARINELLI. Es geht mir nahe, der Gnade meines Fürsten in den Weg zu treten. Doch wenn die Freundschaft gebietet,
15 vor allem in ihm den Richter aufzufodern –

DER PRINZ. Welche Freundschaft? –

MARINELLI. Sie wissen, gnädiger Herr, wie sehr ich den Grafen Appiani liebte; wie sehr unser beider Seelen ineinander verwebt schienen –

20 ODOARDO. Das wissen Sie, Prinz? So wissen Sie es wahrlich allein.

MARINELLI. Von ihm selbst zu seinem Rächer bestellet –

ODOARDO. Sie?

MARINELLI. Fragen Sie nur Ihre Gemahlin. Marinelli, der
25 Name Marinelli war das letzte Wort des sterbenden Grafen: und in einem Tone! in einem Tone! – Dass er mir nie aus dem Gehöre komme dieser schreckliche Ton, wenn ich nicht alles anwende, dass seine Mörder entdeckt und bestraft werden!

30 DER PRINZ. Rechnen Sie auf meine kräftigste Mitwirkung.

ODOARDO. Und meine heißesten Wünsche! – Gut, gut! – Aber was weiter?

DER PRINZ. Das frag ich, Marinelli.

MARINELLI. Man hat Verdacht, dass es nicht Räuber gewe-
35 sen, welche den Grafen angefallen.

ODOARDO *(höhnisch).* Nicht? wirklich nicht?

4 **einzureden:** zu widersprechen | 6 **gegen Marinelli:** zu Marinelli gewandt | 13 **Es geht mir nahe:** Es bedrückt mich | 22 **bestellet:** ernannt

MARINELLI. Dass ein Nebenbuhler ihn aus dem Wege räumen lassen.

ODOARDO *(bitter)*. Ei! ein Nebenbuhler?

MARINELLI. Nicht anders.

ODOARDO. Nun dann, – Gott verdamm' ihn den meuchelmörderschen Buben!

MARINELLI. Ein Nebenbuhler, und ein begünstigter Nebenbuhler –

ODOARDO. Was? ein begünstigter? – Was sagen Sie?

MARINELLI. Nichts, als was das Gerüchte verbreitet.

ODOARDO. Ein begünstigter? von meiner Tochter begünstiget?

MARINELLI. Das ist gewiss nicht. Das kann nicht sein. Dem widersprech ich, trotz Ihnen. – Aber bei dem allen, gnädiger Herr, – Denn das gegründetste Vorurteil wieget auf der Waage der Gerechtigkeit so viel als nichts – bei dem allen wird man doch nicht umhin können, die schöne Unglückliche darüber zu vernehmen.

DER PRINZ. Jawohl, allerdings.

MARINELLI. Und wo anders? wo kann das anders geschehen, als in Guastalla?

DER PRINZ. Da haben Sie Recht, Marinelli; da haben Sie Recht. – Ja so: das verändert die Sache, lieber Galotti. Nicht wahr? Sie sehen selbst –

ODOARDO. O ja, ich sehe – Ich sehe, was ich sehe. – Gott! Gott!

DER PRINZ. Was ist Ihnen? was haben Sie mit sich?

ODOARDO. Dass ich es nicht vorausgesehen, was ich da sehe. Das ärgert mich: weiter nichts. – Nun ja; sie soll wieder nach Guastalla. Ich will sie wieder zu ihrer Mutter bringen: und bis die strengste Untersuchung sie freigesprochen, will ich selbst aus Guastalla nicht weichen. Denn wer weiß, – *(mit einem bittern Lachen)* wer weiß, ob die Gerechtigkeit nicht auch nötig findet, mich zu vernehmen.

MARINELLI. Sehr möglich! In solchen Fällen tut die Gerech-

6 **Buben:** Schurken | 14 **trotz Ihnen:** ebenso wie Sie

tigkeit lieber zu viel, als zu wenig. – Daher fürchte ich sogar –

DER PRINZ. Was? was fürchten Sie?

MARINELLI. Man werde vorderhand nicht verstatten können, dass Mutter und Tochter sich sprechen.

ODOARDO. Sich nicht sprechen?

MARINELLI. Man werde genötiget sein, Mutter und Tochter zu trennen.

ODOARDO. Mutter und Tochter zu trennen?

MARINELLI. Mutter und Tochter und Vater. Die Form des Verhörs erfodert diese Vorsichtigkeit schlechterdings. Und es tut mir leid, gnädiger Herr, dass ich mich gezwungen sehe, ausdrücklich darauf anzutragen, wenigstens Emilien in eine besondere Verwahrung zu bringen.

ODOARDO. Besondere Verwahrung? – Prinz! Prinz! – Doch ja; freilich, freilich! Ganz recht: in eine besondere Verwahrung! Nicht, Prinz? nicht? – O wie fein die Gerechtigkeit ist! Vortrefflich! *(Fährt schnell nach dem Schubsacke, in welchem er den Dolch hat.)*

DER PRINZ *(schmeichelhaft auf ihn zutretend)*. Fassen Sie sich, lieber Galotti –

ODOARDO *(beiseite, indem er die Hand leer wieder herauszieht)*. Das sprach sein Engel!

DER PRINZ. Sie sind irrig; Sie verstehen ihn nicht. Sie denken bei dem Worte Verwahrung, wohl gar an Gefängnis und Kerker.

ODOARDO. Lassen Sie mich daran denken: und ich bin ruhig!

DER PRINZ. Kein Wort von Gefängnis, Marinelli! Hier ist die Strenge der Gesetze mit der Achtung gegen unbescholtene Tugend leicht zu vereinigen. Wenn Emilia in besondere Verwahrung gebracht werden muss: so weiß ich schon – die alleranständigste. Das Haus meines Kanzlers – Keinen Widerspruch, Marinelli! – Da will ich sie selbst hinbringen, da will ich sie der Aufsicht einer der würdigsten Damen übergeben. Die soll mir für sie bür-

4 **vorderhand:** zunächst | 4 **verstatten:** zulassen, gestatten | 13 **darauf anzutragen:** darauf zu dringen | 17 **fein:** genau | 20 **schmeichelhaft:** schmeichelnd | 30 f. **unbescholtene Tugend:** unbezweifelbare, reine Tugend | 33 **alleranständigste:** mit dem besten Ruf | 33 f. **Kanzlers:** des Leiters der Hofkanzlei | 36 **würdigsten:** angesehensten

gen, haften. – Sie gehen zu weit, Marinelli, wirklich zu weit, wenn Sie mehr verlangen. – Sie kennen doch, Galotti, meinen Kanzler Grimaldi, und seine Gemahlin?

ODOARDO. Was sollt ich nicht? Sogar die liebenswürdigen Töchter dieses edeln Paares kenn ich. Wer kennt sie nicht? – *(Zu Marinelli.)* Nein, mein Herr, geben Sie das nicht zu. Wenn Emilia verwahrt werden muss: so müsse sie in dem tiefsten Kerker verwahret werden. Dringen Sie darauf; ich bitte Sie. – Ich Tor, mit meiner Bitte! ich alter Geck! – Ja wohl hat sie Recht die gute Sibylle: Wer über gewisse Dinge seinen Verstand nicht verlieret, der hat keinen zu verlieren!

DER PRINZ. Ich verstehe Sie nicht. – Lieber Galotti, was kann ich mehr tun? – Lassen Sie es dabei: ich bitte Sie. – Ja, ja, in das Haus meines Kanzlers! da soll sie hin; da bring ich sie selbst hin; und wenn ihr da nicht mit der äußersten Achtung begegnet wird, so hat mein Wort nichts gegolten. Aber sorgen Sie nicht. – Dabei bleibt es! dabei bleibt es! – Sie selbst, Galotti, mit sich, können es halten, wie Sie wollen. Sie können uns nach Guastalla folgen; Sie können nach Sabionetta zurückkehren: wie Sie wollen. Es wäre lächerlich, Ihnen vorzuschreiben. – Und nun, auf Wiedersehen, lieber Galotti! – Kommen Sie, Marinelli: es wird spät.

ODOARDO *(der in tiefen Gedanken gestanden).* Wie? so soll ich sie gar nicht sprechen meine Tochter? Auch hier nicht? – Ich lasse mir ja alles gefallen; ich finde ja alles ganz vortrefflich. Das Haus eines Kanzlers ist natürlicherweise eine Freistatt der Tugend. O, gnädiger Herr, bringen Sie ja meine Tochter dahin; nirgends anders als dahin. – Aber sprechen wollt ich sie doch gerne vorher. Der Tod des Grafen ist ihr noch unbekannt. Sie wird nicht begreifen können, warum man sie von ihren Eltern trennet. Ihr jenen auf gute Art beizubringen; sie dieser Trennung wegen zu beruhigen: – muss ich sie sprechen, gnädiger Herr, muss ich sie sprechen.

10 **Geck:** Narr | 10 **Sibylle:** in der Antike eine der Priesterinnen, die im Zustand der Ekstase zukünftige Gefahren voraussagten; hier auf Orsina bezogen | 29 **Freistatt der Tugend:** Ort, an dem die Tugend geschützt ist

DER PRINZ. So kommen Sie denn –

ODOARDO. O, die Tochter kann auch wohl zu dem Vater kommen. – Hier, unter vier Augen, bin ich gleich mit ihr fertig. Senden Sie mir sie nur, gnädiger Herr.

5 DER PRINZ. Auch das! – O Galotti, wenn Sie mein Freund, mein Führer, mein Vater sein wollten! *(Der Prinz und Marinelli gehen ab.)*

Sechster Auftritt

ODOARDO GALOTTI.

10 *(Ihm nachsehend; nach einer Pause.)* Warum nicht? – Herzlich gern – Ha! ha! ha! – *(Blickt wild umher.)* Wer lacht da? – Bei Gott, ich glaub, ich war es selbst. – Schon recht! Lustig, lustig. Das Spiel geht zu Ende. So, oder so! – Aber – *(Pause)* wenn sie mit ihm sich verstünde? Wenn es 15 das alltägliche Possenspiel wäre? Wenn sie es nicht wert wäre, was ich für sie tun will? – *(Pause.)* Für sie tun will? Was will ich denn für sie tun? – Hab ich das Herz, es mir zu sagen? – Da denk ich so was: So was, was sich nur denken lässt. – Grässlich! Fort, fort! Ich will sie nicht er-20 warten. Nein! – *(Gegen den Himmel.)* Wer sie unschuldig in diesen Abgrund gestürzt hat, der ziehe sie wieder heraus. Was braucht er meine Hand dazu? Fort! *(Er will gehen, und sieht Emilien kommen.)* Zu spät! Ah! er will meine Hand; er will sie!

25 ## Siebenter Auftritt

EMILIA. ODOARDO.

EMILIA. Wie? Sie hier, mein Vater? – Und nur Sie? – Und meine Mutter? nicht hier? – Und der Graf? nicht hier? – Und Sie so unruhig, mein Vater?

30 ODOARDO. Und du so ruhig, meine Tochter?

14 **verstünde:** verständigt hätte

EMILIA. Warum nicht, mein Vater? – Entweder ist nichts verloren: oder alles. Ruhig sein können, und ruhig sein müssen: kömmt es nicht auf eines?

ODOARDO. Aber, was meinest du, dass der Fall ist?

EMILIA. Dass alles verloren ist; – und dass wir wohl ruhig sein müssen, mein Vater.

ODOARDO. Und du wärest ruhig, weil du ruhig sein musst? – Wer bist du? Ein Mädchen? und meine Tochter? So sollte der Mann, und der Vater sich wohl vor dir schämen? – Aber lass doch hören: was nennest du, alles verloren? – dass der Graf tot ist?

EMILIA. Und warum er tot ist! Warum! – Ha, so ist es wahr, mein Vater? So ist sie wahr die ganze schreckliche Geschichte, die ich in dem nassen und wilden Auge meiner Mutter las? – Wo ist meine Mutter? Wo ist sie hin, mein Vater?

ODOARDO. Voraus; – wenn wir anders ihr nachkommen.

EMILIA. Je eher, je besser. Denn wenn der Graf tot ist; wenn er darum tot ist – darum! was verweilen wir noch hier? Lassen Sie uns fliehen, mein Vater!

ODOARDO. Fliehen? – Was hätt es dann für Not? – Du bist, du bleibst in den Händen deines Räubers.

EMILIA. Ich bleibe in seinen Händen?

ODOARDO. Und allein; ohne deine Mutter; ohne mich.

EMILIA. Ich allein in seinen Händen? – Nimmermehr, mein Vater. – Oder Sie sind nicht mein Vater. – Ich allein in seinen Händen? – Gut, lassen Sie mich nur; lassen Sie mich nur. – Ich will doch sehn, wer mich hält, – wer mich zwingt, – wer der Mensch ist, der einen Menschen zwingen kann.

ODOARDO. Ich meine, du bist ruhig, mein Kind.

EMILIA. Das bin ich. Aber was nennen Sie ruhig sein? Die Hände in den Schoß legen? Leiden, was man nicht sollte? Dulden, was man nicht dürfte?

ODOARDO. Ha! wenn du so denkest! – Lass dich umarmen, meine Tochter! – Ich hab es immer gesagt: das Weib wollte die Natur zu ihrem Meisterstücke machen. Aber

sie vergriff sich im Tone; sie nahm ihn zu fein. Sonst ist alles besser an Euch, als an Uns. – Ha, wenn das deine Ruhe ist: so habe ich meine in ihr wiedergefunden! Lass dich umarmen, meine Tochter! – Denke nur: unter dem
5 Vorwande einer gerichtlichen Untersuchung, – o des höllischen Gaukelspieles! – reißt er dich aus unsern Armen, und bringt dich zur Grimaldi.

EMILIA. Reißt mich? bringt mich? – Will mich reißen; will mich bringen: will! will! – Als ob wir, wir keinen Willen
10 hätten, mein Vater!

ODOARDO. Ich ward auch so wütend, dass ich schon nach diesem Dolche griff, *(ihn herausziehend)* um einem von beiden – beiden! – das Herz zu durchstoßen.

EMILIA. Um des Himmels willen nicht, mein Vater! – Dieses
15 Leben ist alles, was die Lasterhaften haben. – Mir, mein Vater, mir geben Sie diesen Dolch.

ODOARDO. Kind, es ist keine Haarnadel.

EMILIA. So werde die Haarnadel zum Dolche! – Gleichviel.

ODOARDO. Was? Dahin wäre es gekommen? Nicht doch;
20 nicht doch! Besinne dich. – Auch du hast nur Ein Leben zu verlieren.

EMILIA. Und nur Eine Unschuld!

ODOARDO. Die über alle Gewalt erhaben ist. –

EMILIA. Aber nicht über alle Verführung. – Gewalt! Gewalt!
25 wer kann der Gewalt nicht trotzen? Was Gewalt heißt, ist nichts: Verführung ist die wahre Gewalt. – Ich habe Blut, mein Vater; so jugendliches, so warmes Blut, als eine. Auch meine Sinne, sind Sinne. Ich stehe für nichts. Ich bin für nichts gut. Ich kenne das Haus der Grimaldi. Es
30 ist das Haus der Freude. Eine Stunde da, unter den Augen meiner Mutter; – und es erhob sich so mancher Tumult in meiner Seele, den die strengsten Übungen der Religion kaum in Wochen besänftigen konnten! – Der Religion! Und welcher Religion? – Nichts Schlimmers zu ↗
35 vermeiden, sprangen Tausende in die Fluten, und sind Heilige! – Geben Sie mir, mein Vater, geben Sie mir diesen Dolch.

1 **Tone:** Töpferton, Lehm | 6 **Gaukelspieles:** Täuschung, Verstellung | 17 **Haarnadel:** lange, spitze Nadel zum Hochstecken des Haars | 27 **als eine:** wie jede andere

ODOARDO. Und wenn du ihn kenntest diesen Dolch! –

EMILIA. Wenn ich ihn auch nicht kenne! – Ein unbekannter Freund, ist auch ein Freund. – Geben Sie mir ihn, mein Vater; geben Sie mir ihn.

ODOARDO. Wenn ich dir ihn nun gebe – da! *(Gibt ihr ihn.)* 5

EMILIA. Und da! *(Im Begriffe sich damit zu durchstoßen, reißt der Vater ihr ihn wieder aus der Hand.)*

ODOARDO. Sieh, wie rasch! – Nein, das ist nicht für deine Hand.

EMILIA. Es ist wahr, mit einer Haarnadel soll ich – *(Sie fährt* 10 *mit der Hand nach dem Haare, eine zu suchen, und bekommt die Rose zu fassen.)* Du noch hier? – Herunter mit dir! Du gehörest nicht in das Haar einer, – wie mein Vater will, dass ich werden soll!

ODOARDO. O, meine Tochter! – 15

EMILIA. O, mein Vater, wenn ich Sie erriete! – Doch nein; das wollen Sie auch nicht. Warum zauderten Sie sonst? – *(In einem bittern Tone, während dass sie die Rose zerpflückt.)* ↗ Ehedem wohl gab es einen Vater, der seine Tochter von der Schande zu retten, ihr den ersten den besten Stahl in 20 das Herz senkte – ihr zum Zweiten das Leben gab. Aber alle solche Taten sind von ehedem! Solcher Väter gibt es keinen mehr!

ODOARDO. Doch, meine Tochter, doch! *(Indem er sie durchsticht.)* Gott, was hab ich getan! *(Sie will sinken, und er fasst* 25 *sie in seine Arme.)*

↗ EMILIA. Eine Rose gebrochen, ehe der Sturm sie entblättert. – Lassen Sie mich sie küssen, diese väterliche Hand.

Achter Auftritt

DER PRINZ. MARINELLI. DIE VORIGEN. 30

DER PRINZ *(im Hereintreten).* Was ist das? – Ist Emilien nicht wohl?

ODOARDO. Sehr wohl; sehr wohl!

16 **Sie erriete:** Ihre Absicht kennen würde | 20 **den ersten den besten:** den nächstbesten

DER PRINZ *(indem er näher kömmt).* Was seh ich? – Entsetzen!

MARINELLI. Weh mir!

DER PRINZ. Grausamer Vater, was haben Sie getan?

5 ODOARDO. Eine Rose gebrochen, ehe der Sturm sie entblättert. – War es nicht so, meine Tochter?

EMILIA. Nicht Sie, mein Vater – Ich selbst – ich selbst –

ODOARDO. Nicht du, meine Tochter; – nicht du! – Gehe mit keiner Unwahrheit aus der Welt. Nicht du, meine Toch-
10 ter! Dein Vater, dein unglücklicher Vater!

EMILIA. Ah – mein Vater – *(Sie stirbt, und er legt sie sanft auf den Boden.)*

ODOARDO. Zieh hin! – Nun da, Prinz! Gefällt sie Ihnen noch? Reizt sie noch Ihre Lüste? Noch, in diesem Blute,
15 das wider Sie um Rache schreiet? *(Nach einer Pause.)* Aber Sie erwarten, wo das alles hinaus soll? Sie erwarten vielleicht, dass ich den Stahl wider mich selbst kehren werde, um meine Tat wie eine schale Tragödie zu beschließen? – Sie irren sich. Hier! *(Indem er ihm den Dolch vor die Füße*
20 *wirft.)* Hier liegt er, der blutige Zeuge meines Verbrechens! Ich gehe und liefere mich selbst in das Gefängnis. Ich gehe, und erwarte Sie, als Richter. – Und dann dort – erwarte ich Sie vor dem Richter unser aller!

DER PRINZ *(nach einigem Stillschweigen, unter welchem er den*
25 *Körper mit Entsetzen und Verzweiflung betrachtet, zu Marinelli).* Hier! heb ihn auf. – Nun? Du bedenkst dich? – Elender! – *(Indem er ihm den Dolch aus der Hand reißt.)* Nein, dein Blut soll mit diesem Blute sich nicht mischen. – Geh, dich auf ewig zu verbergen! – Geh! sag ich. –
30 Gott! Gott! – Ist es, zum Unglücke so mancher, nicht genug, dass Fürsten Menschen sind: müssen sich auch noch Teufel in ihren Freund verstellen?

Ende des Trauerspiels.

15 **wider:** gegen | 16 **Sie erwarten:** Sie fragen sich | 23 **dem Richter unser aller:** Gottes Jüngstes Gericht

Anhang

1. Zur Textgestalt

Der Werktext der vorliegenden Ausgabe ist seiten- und zeilengleich mit der Ausgabe der Universal-Bibliothek Nr. 45; er folgt der Edition:

> Gotthold Ephraim Lessings sämtliche Schriften. Hrsg. von Karl Lachmann. Dritte, aufs neue durchgesehene und vermehrte Auflage, besorgt durch Franz Muncker. Bd. 2. Stuttgart: G. J. Göschen'sche Verlagshandlung, 1886. [Darin: *Emilia Galotti.*]

Die Orthographie wurde auf der Grundlage der gültigen amtlichen Rechtschreibregeln behutsam modernisiert; der originale Lautstand und grammatische Eigenheiten blieben gewahrt. Die Interpunktion, die oftmals Kommata entgegen den heutigen Konventionen der Zeichensetzung gebraucht, um Zäsuren in der dramatischen Rede deutlich zu machen, folgt der Druckvorlage.

Zu den Wort- und Sacherläuterungen

Die Wort- und Sacherläuterungen basieren in Teilen auf den Erläuterungen in: Gotthold Ephraim Lessing, *Emilia Galotti*, Anm. von Jan-Dirk Müller, Stuttgart: Reclam, 1970 [u. ö.], und: Gesa Dane, *Erläuterungen und Dokumente. Gotthold Ephraim Lessing, »Emilia Galotti«*, Stuttgart: Reclam, 2002 [u. ö.].

2. Anmerkungen

3,1–11 **Personen ... Bediente:** Lessing hat die Handlung in einen italienischen Kleinstaat der Renaissance verlegt: Das Herrschergeschlecht Gonzaga regierte von 1539 bis in das 18. Jh. die Grafschaft Guastalla nördlich von Parma in der Region Emilia. Die Figuren des Dramas hat Lessing erfunden. Über die Namen stellt Lessing jedoch Motivbezüge her. So verweisen die Eigennamen Appiani und Claudia auf den römischen Dezemvirn (ein Mitglied des Rates der zehn Männer, die im römischen Staat für bestimmte Verwaltungsaufgaben zuständig waren) Appius Claudius (5. Jh. v. Chr.), den Protagonisten des Virginia-Stoffes, den Ausgangspunkt des Dramas. »Sprechende Namen« mit Figurenbezug sind Orsina (lat. *orsa* ›die Bärin‹) und Angelo (ital., ›Engel‹). Das Motiv des Richtens findet sich im Namen des Rates Camillo Rota (*sacra romana rota*, abgeleitet von der kreisrunden Richterbank – *rota* ›Rad‹ – des obersten päpstlichen Gerichts).

5,2 **Prinzen:** Prinz (von lat. *princeps* ›der Erste‹) bedeutete bis zum Beginn des 19. Jh.s ›Fürst‹, ›Herrscher eines Fürstentums‹. Danach wechselte die Bedeutung in ›nicht regierendes Mitglied eines regierenden Hauses‹.

5,13 **lieset:** Der heute nicht mehr gebräuchliche Flexionssilbenvokal »e« (»lieset« statt »liest«) wird an verschiedenen Stellen eingesetzt, z. B. auch in 7,13 f. »gemalet«, 7,23 »zurechtstellet«, 8,20 »zeiget«, 8,25 »verziehet«, 9,33 »ziemet«, 11,13 »kehret«, 12,13 »drehet«.

7,23–26 **Ich bitte, Prinz ... außer den Grenzen derselben:** In seiner Abhandlung *Laokoon oder Über die Grenzen der Malerei* führt Lessing diesen Gedanken weiter aus bzw. bestimmt die Grenzen zwischen Malerei und Dichtkunst genauer. Die Dichtkunst sei »eine sichtbare fortschreitende Handlung [...], deren verschiedene Teile sich nach und nach, in der Folge der Zeit, ereignen«, dagegen ist die Malerei »eine sichtbare stehende Handlung, deren verschiedene Teile sich nebeneinander im Raume entwickeln«; außerhalb der Grenzen der Malerei, die die Schönheit zeigen kann, aber liegt damit die Möglichkeit, »Schönheit in Reiz« verwandeln zu können. »Reiz ist Schönheit in Bewegung, und eben darum dem Maler weniger bequem als dem Dichter. Der Maler kann die Bewegung nur erraten lassen, in der Tat aber sind seine Figuren ohne Bewegung. Folglich wird der Reiz bei ihm zur Grimasse. Aber in der Poesie bleibt er was er ist; ein transitorisches

Schönes, das wir wiederholt zu sehen wünschen.« (G. E. Lessing, *Laokoon oder Über die Grenzen der Malerei und Poesie*, Stuttgart 1987 [u. ö.], S. 113, 157)

8,34 **Medusenaugen:** Medusa war eine der drei Gorgonen in der griech. Mythologie – geflügelte Schreckgestalten mit Schlangenhaaren, die jeden, der sie anblickt, zu Stein erstarren lassen.

9,32 **an heiligen Stätten:** in der Kirche bei der Messe.

9,35 **Sabionetta:** richtig: Sabbioneta; Stammsitz einer Seitenlinie der Gonzaga, um den die Fürsten von Guastalla bis zur endgültigen Vereinigung (1703) einen Prozess mit unterschiedlichem Erfolg führten.

10,3 f. **dass man den Künstler … vergisst:** Diesen Gedanken führt Lessing in seiner *Hamburgischen Dramaturgie* weiter aus: »Das wahre Meisterstück, dünkt mich, erfüllet uns so ganz mit sich selbst, dass wir des Urhebers darüber vergessen; dass wir es nicht als das Produkt eines einzeln Wesens, sondern der allgemeinen Natur betrachten.« (G. E. Lessing, *Hamburgische Dramaturgie*, Stuttgart 1999 [u. ö.], S. 189)

12,11 **Ich höre kommen:** Ich höre jemanden kommen.

12,32 **Nichts verschworen:** Ich verpflichte mich nicht durch einen Eid.

13,4 **Massa:** Herzogtum in der Toskana.

13,10 **Staatsinteresse:** Staatsnotwendigkeit, Staatsräson; entsprechend dieser kann von den politisch verantwortlichen Fürsten bei der Eheschließung die Unterordnung persönlicher Interessen unter das Staatsinteresse erwartet werden.

14,12 f. **Empfindsamen:** »Empfindsamkeit« ist im Rahmen der Aufklärung im 18. Jh. eine Bewegung, die nicht die Leitidee der Vernunft, sondern das Gefühl zur Grundlage hat.

14,31 **Piemont:** Landschaft in den ital. Westalpen.

14,34 **Zirkel der ersten Häuser:** Kreis der ranghöchsten Familien.

14,36 f. **Zeremoniell:** verbindliche Regeln des höfischen und gesellschaftlichen Umgangs.

18,5 **Lustschlosse:** Schloss zum Vergnügen, zur Erholung und zur Geselligkeit auf dem Land – im Gegensatz zum Stadtschloss als Regierungssitz.

18,5 **Dosalo:** richtig: Dosolo, Ortschaft am ital. Fluss Po.

22,3 **wann:** Die Formen »wann« und »wenn« konkurrierten bis ins 18. Jh. miteinander in beiden Bedeutungen, bevor »wenn« allein noch die aus der ursprünglichen temporalen Bedeutung entwickelte konditionale Bedeutung vertrat; vgl. auch 23,34 und 28,29.

23,8 **Pistolen:** von Philipp II. von Spanien eingeführte Goldmünze, die von den übrigen europäischen Ländern nachgeprägt wurde.

24,18 f. **kehre dich an nichts:** kümmere dich um nichts; lass dich nicht ablenken.

25,20 **Tugend:** nach der christlichen Sittenlehre im 18. Jh. die vorbildliche Haltung beim Streben nach dem sittlich Guten und einem geglückten Leben; als Haupt- bzw. Kardinaltugenden galten seit dem Mittelalter Klugheit, Gerechtigkeit, Mäßigung und Tapferkeit, alle anderen Tugenden waren diesen zugeordnet.

26,6 **verderbt:** verdirbt. Lessing unterscheidet starkes intransitives Verb (»etwas verdirbt«) und schwaches transitives (»jemand verderbt etwas«).

27,29 **brünstiger:** Inbrunst: Brunst, Brand Glut; in der Sprache der Mystik die innere Glut des Menschen vor Gott, sein heißes Verlangen nach Glaubensgewissheit.

28,12 **mein Herz zu erheben:** In der katholischen Messe spricht der Priester zur Gemeinde: »Sursum corda« (»Erhebet die Herzen [zu Gott]«), und die Gemeinde antwortet: »Habemus ad Dominum« (»Wir haben sie beim Herrn«). Emilia war also auf Gott ausgerichtet.

33,29 f. **Kleid ... fliegend und frei:** leichtes, fließendes Gewand – im Gegensatz zur höfischen Mode des 18. Jh.s.

34,5 **Ja, wenn die Zeit nur außer uns wäre!:** Wenn unser Zeitgefühl nur der realen Zeit entsprechen würde!

34,17 **ausgelaufen sein:** hier bildsprachlich: noch nicht den Hafen verlassen haben.

37,16 f. **Ich bin der Vasall eines größern Herrn:** der Untergebene eines höhergestellten Herrn, als es der Prinz ist. Als Adliger, dessen Güter außerhalb des Staatsgebiets des Prinzen von Guastalla liegen, ist Appiani strenggenommen nicht Untertan des Prinzen und muss ihm nicht bedingungslos Folge leisten. Mit der Verwendung des Begriffs »Vasall« deutet Appiani auf ein mittelalterliches Rechtsverständnis, entsprechend dem der Vasall einem größeren, adligen Herrn Rat und Hilfe anbietet und dafür Schutz erhält; im Gegensatz dazu steht der neuzeitliche Anspruch des Absolutismus im 17. und 18. Jh., entsprechend dem der Prinz mit seinem bürokratisch organisierten Staatswesen absoluten Zugriff auf alle Untertanen, auf Bürger und sogar Adlige hat.

38,10 f. **ich fodere Genugtuung:** ich fordere Sie zum Duell, um meine durch die Beschimpfung gekränkte Ehre wiederherzustellen.

40,2 **Vorsaal:** kleiner Saal vor dem eigentlichen großen Festsaal.

41,12 **Als ob er:** erneuter Wechsel der Anrede (vgl. Fn. zu 15,20).

42,1 **gewaltsamen Entführung:** Anspielung auf Frauenraub und -entführung, die im Recht z. T. synonym mit Notzucht und Vergewaltigung und als Ehrverletzung verstanden wurden.

42,24 **des Tiergartens:** des Tiergeheges, häufig in der Nähe von Landschlössern, die für die fürstliche Jagd angelegt wurden.

43,20 **Der Tolldreiste:** Der Draufgänger, Verwegene.

43,24 f. **die Affen ... sind sie hämisch:** Bezugnahme auf die beleidigende Äußerung in II,10 (38,9).

43,28 **Kammerherr:** Adliger im Hofdienst.

46,32 f. **glückliches Unglück:** Oxymoron, rhetorische Figur, die zwei einander widersprechende Begriffe miteinander verbindet (vgl. auch 80,15).

50,28 **innerhalb:** in den Kulissen, noch nicht auf der Bühne sichtbar.

53,18 **Galle ... Geifer:** Die Flüssigkeiten der Galle und der Milz (»gelbe« bzw. »schwarze« Galle) betrachtete man als Ursache für Zorn bzw. Melancholie, schwermütiges Temperament.

54,8 **O der mütterlichen Wut:** alter Genitiv; vgl. auch 11,35.

57,9 **Er:** vgl. Fn. zu 15,20.

74,15 **Durchlaucht:** wörtl. ›durchstrahlend‹; seit dem 15. Jh. als Lehnübersetzung von lat. *perillustris* ›sehr angesehen‹ im Titel fürstlicher Personen gebräuchlich und im 16. Jh. als Substantiv verwendet.

75,20 **Tugend:** vgl. Anm. zu 25,20.

75,24 **Deine Sache wird ein ganz anderer zu seiner machen!:** vgl. im Neuen Testament Römer 12,19: »Die Rache ist mein, ich will vergelten, spricht der Herr.«

75,28 **vergälle:** verderbe (mit bitter schmeckender Galle).

80,15 **das gegründetste Vorurteil:** Oxymoron, hier: Widerspruch in sich, Contradictio in adjecto.

85,34 f. **Nichts Schlimmers zu vermeiden:** möglicherweise Anspielung auf Aurelius Augustinus, der sich entschieden gegen den Suizid äußerte: »Doch haben sich, sagt man, einige heilige Frauen in Verfolgungszeiten, um ihre Unschuld vor Angriffen zu retten, in die reißende Strömung der Flüsse geworfen und so ihren Tod gefunden, und doch wird ihr Märtyrertum in der katholischen Kirche verehrungsvoll gefeiert. Über sie möchte ich kein unbesonnenes Urteil abgeben« (Augustinus, *Vom Gottesstaat*, München 1977, I,26, 45 f.).

86,19–21 **Ehedem wohl gab es … Leben gab:** Anspielung auf eine Überlieferung von Titus Livius (59 v. Chr. – um 17 n. Chr.): Der Vater Verginius ergreift das Messer eines zufällig neben ihm Stehenden, um seine Tochter Virginia in einer für sie aussichtslosen Situation zu erstechen; er glaubt, so ihre Jungfräulichkeit gerettet und sie vor Schande bewahrt zu haben.

86,27 **Eine Rose gebrochen, ehe der Sturm sie entblättert:** In der emblematischen Tradition ist die Rose das Sinnbild für Schönheit und deren Vergänglichkeit, eng verbunden mit Erotik; hier verknüpft mit dem des Sturms, das allgemein für Schicksal stehen kann.

3. Leben und Zeit

3.1 Selbstäußerungen Lessings

Ich

Q

Die Ehre hat mich nie gesucht;
sie hätte mich auch nie gefunden.
Wählt man, in zugezählten Stunden,
ein prächtig Feierkleid zur Flucht? 5

Auch Schätze hab ich nie begehrt.
Was hilft es sie auf kurzen Wegen
für Diebe mehr als sich zu hegen,
wo man das Wenigste verzehrt?

Wie lange währts, so bin ich hin, 10
und einer Nachwelt unter den Füßen?
Was braucht sie wen sie tritt zu wissen?
Weiß ich nur wer ich bin.

Gotthold Ephraim Lessing: Sämtliche Schriften. Hrsg. von Karl Lachmann. 3., aufs neue durchges. und verm. Aufl. bes. von Franz Muncker. Bd. 1. Stuttgart: Göschen, 1886. S. 131.

Q

»Ein Mann, der Unwahrheit unter entgegengesetzter Überzeugung in guter Absicht ebenso scharfsinnig als bescheiden durchzusetzen sucht, ist unendlich mehr wert als ein Mann, der die beste, edelste Wahrheit aus Vorurteil, mit Verschreiung seiner Gegner, auf alltägliche Weise verteidiget. Will es denn *eine* Klasse von Leuten nie ler- 5 nen, dass es schlechterdings nicht wahr ist, dass jemals ein Mensch wissentlich und vorsetzlich sich selbst verblendet habe? Es ist nicht wahr, sag ich; aus keinem geringern Grunde, als weil es nicht möglich ist. Was wollen sie denn also mit ihrem Vorwurfe mutwilliger Verstockung, geflissentlicher Verhärtung, mit Vorbedacht gemachter 10 Plane, Lügen auszustaffieren, die man Lügen zu sein weiß? Was wollen sie damit? Was anders, als – – Nein; weil ich *auch ihnen* diese Wahrheit muss zugute kommen lassen; weil ich auch von *ihnen* glauben muss, dass sie vorsetzlich und wissentlich kein falsches verleumdrisches Urteil fällen können: so schweige ich und enthalte 15 mich alles Widerscheltens.

Nicht die Wahrheit, in deren Besitz irgendein Mensch ist oder zu sein vermeinet, sondern die aufrichtige Mühe, die er angewandt hat,

Abb. 1: Gotthold Ephraim Lessing, Gemälde von Anton Graff, 1771

hinter die Wahrheit zu kommen, macht den Wert des Menschen.
20 Denn nicht durch den Besitz, sondern durch die Nachforschung der Wahrheit erweitern sich seine Kräfte, worin allein seine immer wachsende Vollkommenheit bestehet. Der Besitz macht ruhig, träge, stolz –

Wenn Gott in seiner Rechten alle Wahrheit und in seiner Linken
25 den einzigen immer regen Trieb nach Wahrheit, obschon mit dem Zusatze, mich immer und ewig zu irren, verschlossen hielte und spräche zu mir: wähle! Ich fiele ihm mit Demut in seine Linke und sagte: Vater gib! die reine Wahrheit ist ja doch nur für dich allein!«

Gotthold Ephraim Lessing: Über die Wahrheit. In: Was ist Aufklärung? Thesen und Definitionen. Hrsg. von Ehrhard Bahr. Bibliogr. erg. Ausg. Stuttgart: Reclam, 2008. S. 43 f.

3.2 Zeittafel

1729 Gotthold Ephraim Lessing wird am 22. Januar in Kamenz (Oberlausitz) geboren. Der Vater, Johann Gottfried Lessing, ist Pastor Primarius in der Kamenzer Marienkirche, die Mutter, Justina Salome Feller, eine Pfarrerstochter aus Kamenz. Gotthold Ephraim kommt als drittes von zwölf Kindern zur Welt; fünf dieser Kinder sterben in frühem Alter.

1741–46 Ein Jahr nach dem Regierungsantritt Friedrichs II. in Berlin erhält Lessing nach dem Besuch der Lateinschule in Kamenz und herausragenden Leistungen beim Aufnahmeexamen ein Stipendium für die Fürstenschule St. Afra in Meißen. Hier soll begabten Landeskindern eine besonders qualifizierte Ausbildung ermöglicht werden. Schon als Schüler versucht sich Lessing als Schriftsteller, verfasst Lieder und lehrhafte Gedichte und entwirft das Lustspiel *Der junge Gelehrte*. Lessing kann die Schule ein Jahr früher als üblich verlassen. Er schreibt in lateinischer Sprache, hat Griechisch, Hebräisch und Französisch gelernt.

1746–48 Lessing studiert an der sächsischen Landesuniversität in Leipzig, wo ihm als Fürstenschüler ein Stipendium bereitgestellt wird. Zunächst widmet er sich der Theologie, doch bald verlagert der junge Student seinen Studienschwerpunkt auf die humanistischen Fächer. Er verkehrt in der Schauspieltruppe der Caroline Neuber (erste Veröffentlichungen von Gedichten und Epigrammen), gibt das Theologiestudium auf und versucht sich in anderen Fakultäten, vor allem in der medizinischen. Im Januar 1748 wird *Der junge Gelehrte* von der Neuberin mit großem Erfolg uraufgeführt. Da Lessing wegen finanzieller Bürgschaften für Schauspieler in Bedrängnis kommt, muss er Leipzig verlassen, um sich seinen Gläubigern zu entziehen. Den Weg nach Berlin unterbricht er krankheitsbedingt in Wittenberg. Dort studiert er für einige Monate weiter Medizin. Im November 1748 kommt er in Berlin an.

1749–51 In Berlin beginnt seine Existenz als »freier Schriftsteller«. Die Residenzstadt Berlin bietet ihm mit ihrem wachsenden Zeitschriftenmarkt eine halbwegs gesicherte ökonomische Basis. Theaterarbeiten, umfassende gelehrt-antiquarische Studien, Versuche in verschiedenen literarischen Kleinformen, vor allem aber journalistisch-rezensierende Artikel sind für seine ersten Berliner Jahre typisch. Es entsteht ein enger freundschaftlicher Kontakt zu Moses Mendelssohn, er lernt den Schriftsteller und Verleger Friedrich Nicolai kennen.

1752 Abschluss des Studiums in Wittenberg, er wird promoviert als Magister der freien Künste.

1753 Lessing ist in Berlin so bekannt und so selbstbewusst, dass er, 24-jährig, eine sechsteilige Sammlung eigener Schriften herauszugeben beginnt: Gedichte, Briefe, literarische Ausgrabungs- und Rehabilitierungsversuche, Jugendlustspiele; später (1755) kommt abschließend *Miß Sara Sampson*, sein ganz neuartiges »bürgerliches Trauerspiel«, hinzu. Sein polemischer Stil ist gefürchtet, seine dramatischen Versuche eröffnen dem Theater Neuland und sprengen Regeln.

1755–57 Lessing zieht sich im Frühjahr 1755 für einige Zeit nach Potsdam zurück und schreibt dort in wenigen Wochen *Miß Sara Sampson*. In Anwesenheit des Autors wird dieses »bürgerliche Trauerspiel« im Juli des Jahres in Frankfurt an der Oder uraufgeführt. Im Oktober 1755 kehrt Lessing nach Leipzig zurück. Eine große Bildungsreise wird abgebrochen.

1758–60 Lessing ist wieder in Berlin. Seine Versuche, in der preußischen Residenz eine Anstellung zu finden, schlagen fehl. Die Fürsprache der Freunde hilft nicht weiter, da sich der preußische König selbst gegen Lessing stellt. Die *Briefe, die neueste Literatur betreffend* erscheinen, sie dienen insbesondere der Abgrenzung gegenüber den poetischen Regelsystemen des Leipzigers Literatur-Professors Gottsched.

1760–64 Am 7. November 1760 verlässt Lessing, ohne bei den Freunden Abschied zu nehmen, Berlin und nimmt in Breslau die Stelle eines Sekretärs bei dem preußischen General Tauentzien an. Er führt für den Garnisonskommandanten den Briefwechsel mit dem Hof in Berlin (und verstummt für einige Jahre als Schriftsteller). Er arbeitet literarisch am »Laokoon«-Thema und der Frage, wie tödlicher Schmerz in der bildenden Kunst (Marmor-Gruppe mit der Laokoon-Szene in Rom), im Epos (Vergils Erzählung von Laokoon) und auf dem Theater darzustellen wäre. Der Siebenjährige Krieg selbst wird in der dramatischen Arbeit *Minna von Barnhelm* thematisiert.

1765–67 Lessing lebt wieder in Berlin. Zur Ostermesse 1766 erscheint der *Laokoon*. Die Zeitkomödie *Minna von Barnhelm* wird 1767 gedruckt.

1767–69 Lessing wird im November 1766 die Stelle eines Hausdramatikers am neugegründeten »Nationaltheater« in Hamburg angeboten. Er geht im Frühjahr 1767 als Dramaturg nach Hamburg, um das laufende Theater-Programm anzuregen und zu kritisieren. Seine Arbeit dokumentiert er publizistisch in der *Hamburgischen Dramaturgie*, deren Teile mehr und mehr ins Grundsätzliche zielen, weil die Hamburger Theaterpraxis enttäuschend verläuft.

1770–81 Nach finanziellem Ruin in Hamburg nimmt Lessing eine Stelle als Hofbibliothekar an der herzoglichen Bibliothek Wolfenbüttel an. Seine Bücherleidenschaft, aber auch der Wunsch, seine finanzielle Situation zu festigen und eventuell heiraten zu können, überwinden seine Vorbehalte gegenüber einer Stelle im Hofdienst.

1771 Lessing verlobt sich mit der Hamburger Kaufmannswitwe Eva König. Er wird Mitglied einer Freimaurerloge in Hamburg; die Praxis der Freimaurer enttäuscht und langweilt ihn allerdings.

1772 Im Winter 1771/72 entsteht das Trauerspiel *Emilia Galotti*, das zum Geburtstag der Herzogin am 13. März 1772 in Braunschweig uraufgeführt wird. Lessing vermeidet das Rührselige seiner *Miß Sara Sampson* und weckt mit einem Drama voll rascher Handlungsabläufe und Mehrdeutigkeiten Nachdenklichkeit beim Publikum.

1774–78 Lessing veröffentlicht verschiedene Stücke der *Fragmente eines Ungenannten*, der nachgelassenen Schriften des Hamburger Professors Hermann Samuel Reimarus. Er nutzt die Veröffentlichung und Kommentierung dieser *Fragmente* zur Inszenierung einer breitangelegten religionskritischen Debatte, die sich in Streitschriften während der Jahre 1777–79 erst richtig entfaltet.

1776 Im Oktober 1776 kann Lessing endlich in der Nähe von Hamburg Eva König heiraten; erst jetzt empfindet er seine finanzielle Situation als hinreichend gesichert.
Er versucht mehrfach, Wolfenbüttel zu verlassen und wieder unabhängig zu werden. Der Plan, die Leitung des Mannheimer Theaters zu übernehmen, schlägt fehl.

1777/78 Sein Sohn Traugott wird Weihnachten 1777 geboren, stirbt aber schon einen Tag nach der Geburt. Am 10. Januar 1778 stirbt Lessings Frau an den Folgen dieser Geburt. In sarkastisch-bitteren und zugleich beherrschten Briefen unterrichtet Lessing die Freunde in Braunschweig von seinem Unglück: »Ich wollte es auch einmal so gut haben, wie andere Menschen. Aber es ist mir schlecht bekommen« (31. Dezember 1777).
Im August 1778 entzieht der Herzog seinem Hofrat Lessing die Zensurfreiheit in der religionskritischen Auseinandersetzung insbesondere mit dem Hamburger Hauptpastor Johann Melchior Goeze. Lessing sucht daraufhin sein »alte Kanzel«, das Theater, wieder auf und arbeitet an seinem *Nathan der Weise*, das 1779 gedruckt vorliegt.
In *Ernst und Falk* lässt Lessing zwei Freimaurer in philosophischen Dialogen nach sokratischem Muster über das tiefere, verborgene Wesen der Freimaurerei spekulieren: es müsse darin liegen, alle sozialen, politischen, religiösen und nationalen Trennungen zu überwinden und diese notwendige Utopie auch dann nicht aus dem Auge zu verlieren, wenn sie noch nicht realisierbar erscheine. Von einer solchen Utopie ist auch der *Nathan* durchdrungen, wenn in diesem Stück Menschen, die durch Religion und Rasse getrennt zu sein scheinen, als Freunde und Verwandte zueinanderfinden.

1780/81 1780 publiziert Lessing (anonym) seine Schrift *Die Erziehung des Menschengeschlechts* im Zusammenhang (Teilpublikation schon 1777). Darin entwirft er ein geschichtsphilosophisches Zukunfts- und Fortschrittsmodell, wiederum mit skeptischen Fragezeichen versehen.
Die zunehmende Erblindung und die Einsamkeit in Wolfenbüttel machen ihm zu schaffen. Am 29. Januar erleidet

er einen »Stickfluss« (durch wässerige Ausschwitzungen in den Lungen entstehende Erscheinung von Röcheln oder blasigem Geräusch beim Atmen). Am 15. Februar 1781 stirbt er in Braunschweig kurz nach seinem 52. Geburtstag, am Ende völlig verarmt.

3.3 Leben als Schriftsteller

Gotthold Ephraim Lessing war einer der ersten Autoren, denen es gelang, über einen längeren Zeitraum als freier Schriftsteller zu leben. Doch seinem Lebenstraum, »niemands Herr noch Knecht« zu sein, stand schließlich der ideelle und finanzielle Misserfolg seiner Zeit in Hamburg (Scheitern des Nationaltheaters, Bankrott seines eigenen Verlages) sowie die geplante Familiengründung entgegen. Dies veranlasste ihn, die zunächst schlecht bezahlte Stelle eines Hofbibliothekars in Wolfenbüttel anzunehmen. Bei Lessings Amtsantritt war diese Kleinstadt allerdings weitgehend bedeutungslos, weil das zwanzig Kilometer entfernte Braunschweig, sieben Jahre zuvor zur Residenzstadt erhoben, das höfische und wirtschaftliche Leben an sich gebunden hatte. Lessing, an den lebendigen intellektuellen und gesellschaftlichen Austausch gewöhnt, vereinsamte in Wolfenbüttel weitgehend. Unter den 5000 Einwohnern Wolfenbüttels waren Vertreter kirchlicher und juristischer Behörden des Landes, die dem kritischen Gelehrten und seinem aufgeklärten Denken mit Skepsis begegneten. Die Abhängigkeit vom Hofe Herzog Karls I. und insbesondere vom Erbprinzen Karl Wilhelm Ferdinand, der 1780 Herzog wurde, aber bereits ab 1770 in vielen Bereichen entschied, machte Lessing Schwierigkeiten. Einerseits wollte Karl Wilhelm Ferdinand sein kleines Land mit dem Namen des ersten deutschen Schriftstellers schmücken und bot ihm Unterstützung, andererseits aber wollte er auch dessen Abhängigkeit und versuchte Lessings freien Geist zu binden und hinzuhalten. Trotz der Stelle in Wolfenbüttel stand Lessing mit seinem schmalen Gehalt finanziell unter Druck, musste er doch Schulden aus der Hamburger Zeit tilgen sowie seine Schwester und seine Mutter finanziell unterstützen, nachdem der Vater 1770 verstorben war. Die Hochzeit mit der Hamburger Kaufmannswitwe Eva König musste nach der Verlobung 1771 aufgrund von Geldproblemen bis in das Jahr 1776 aufgeschoben werden. Lessing spielte regelmäßig, nahm an den

Hamburger und Braunschweiger Lotterien teil und forderte mehrfach Gehaltsvorschüsse und Gehaltserhöhungen, die ihm erst in seinen letzten Jahren gewährt wurden. Auf eine vom Erbprinzen angebotene, dann aber nicht wieder erwähnte Hofratsstelle, die ein höheres Gehalt versprach, wartete er vergeblich. Das Schreiben war für ihn daher auch unter finanziellen Aspekten immer notwendig. Die Position der Abhängigkeit des Künstlers nimmt er in seinem in Wolfenbüttel fertiggestellten Trauerspiel *Emilia Galotti* auf, indem er im ersten Akt auf die Frage des Prinzen »Was macht die Kunst?« den Maler Conti antworten lässt: »Die Kunst geht nach Brot«.

Auch im Privaten hat Lessing mit schweren Schicksalsschlägen zu kämpfen. Ende 1777 starb sein Kind am ersten Lebenstag, zehn Tage später seine geliebte Frau.

Gotthold Ephraim Lessing: Brief an die Braut Eva König vom 15. Februar 1773

Q

»Braunschweig, den 15. Febr. 1773.

Meine Liebe!

Ich bin seit vierzehn Tagen in Braunschweig, auf ausdrückliches Verlangen des Erbprinzen[1], und habe Ihnen von einem Tage zum andern von einer Sache Nachricht geben wollen, die für mich, und also auch für Sie, wie ich mir schmeichle, sehr interessant ist. Nur, weil ich Ihnen die volle Gewissheit gern sogleich davon melden wollte, habe ich es noch immer müssen anstehen lassen. Da aber vor einigen Tagen der Erbprinz unvermutet nach Potsdam verreisen müssen, und indes die Betreibung der Sache stille steht: so denke ich, ist es doch besser, dass ich Ihnen nur vorläufig etwas davon melde, als dass ich Sie gänzlich ohne Briefe von mir ließe, welches Sie ohnedem schon länger sind, als es der Inhalt Ihres Letztern sollte verstattet haben.

Also mit wenig Worten: es ist hier vor Kurzem ein Hofrat gestorben, den der Herzog vornehmlich in solchen Sachen brauchte, welche die Geschichte und die Rechte des Hauses betrafen. Der Erbprinz hat geglaubt, dass, wenn ich wollte, es mir nicht schwer werden könnte, in wenig Zeit die hierzu nötige Kenntnis und Geschicklichkeit zu erlangen. Er trug mir also diese Stelle, mit Bei-

1 Erbprinz Karl Wilhelm Ferdinand

behaltung des Bibliothekariats, an, und versicherte mich, dass er mich so dabei setzen wollte, dass ich mit möglichster Zufriedenheit mich hier fixieren[2] könnte.

Aber darauf, sagte er, kömmt es sodann auch an! Sie müssen bei uns bleiben, und Ihr Projekt, noch in der Welt viel herumzuschwärmen, aufgeben. Ich weiß nicht, ob er Wind bekommen haben musste, was mein gegenwärtiger Plan sei. Aber Sie können sich leicht einbilden, was ich ihm antwortete. Ich nahm seinen Antrag vorläufig an, ohne ihm jedoch zu verschweigen, dass ich allerdings, ohne eine bessere Aussicht, nicht mehr sehr lange allhier dürfte ausgehalten haben. Durch diese Stelle, sagte er, bekommen Sie bei uns einen Fuß auf alles, und es wird nur auf Sie ankommen, ob Sie in Ihrer gegenwärtigen Karriere bleiben, oder eine andere einschlagen wollen. Kurz, die Sache ward unter uns so weit richtig, dass sie vielleicht schon völlig zu Stande wäre, wenn, wie gesagt, seine Reise nicht so unvermutet dazwischen gekommen wäre. Er kömmt den 28ten dieses wieder zurück, und sodann, denke ich, kann es nicht lange mehr dauern, dass sich mein künftiges Schicksal nicht wahrscheinlicher Weise auf immer entscheiden sollte.

L.«

Gotthold Ephraim Lessing: Sämtliche Schriften. Hrsg. von Karl Lachmann. 3., aufs neue durchges. und verm. Aufl. bes. von Franz Muncker. Bd. 18. Stuttgart: Göschen, 1907. Unveränd. fotomech. Nachdr.: Berlin: De Gruyter, 1968. S. 78 f.

Gotthold Ephraim Lessing: Brief an die Braut Eva König vom 3. April 1773

»Wolfenbüttel, den 3. April 1773. **Q**

Meine Liebe!

Ich möchte rasend werden! Was werden Sie von mir denken? Was müssen Sie von mir denken? Ich schrieb Ihnen vor länger als acht Wochen, dass allhier etwas für mich im Werke sei, was mein künftiges Schicksal auf einmal bestimmen werde, und hoffentlich so bestimmen werde, wie ich es wünsche. Wie ich es aber wünsche, weiß niemand besser als Sie. Ich glaubte gewiss, dass keine acht, keine vierzehn Tage vergehen könnten, ohne dass ich Ihnen die völlige Gewissheit von der Sache schreiben konnte. Aber diese vier-

2 niederlassen

zehn Tage sind viermal vergangen, und Sie haben keine Zeile von mir gesehen. Und wenn ich Ihnen nicht eher wieder schreiben wollte, als bis ich es so kann, wie ich gerne wollte: so könnten leicht noch einmal acht Wochen darüber hingehen; und wer weiß, ob ich
15 Ihnen am Ende doch nicht schreiben müsste, dass ich betrogen worden.

Möchte ich nun nicht rasend werden! Ohne die geringste Veranlassung von meiner Seite, lässt man mich ausdrücklich kommen, tut, wer weiß wie schön mit mir, schmiert mir das Maul voll, und
20 hernach tut man gar nicht, als ob jemals von etwas die Rede gewesen wäre. Ich bin zweimal seitdem wieder in Braunschweig gewesen, habe mich sehen lassen, und verlangt zu wissen, woran ich wäre. Aber keine oder doch so gut wie keine Antwort! Nun bin ich wieder hier, und habe es verschworen, den Fuß nicht eher wieder
25 nach Braunschweig zu setzen, bis man eben so von freien Stücken die Sache zu Ende bringt, als man sie angefangen hat. Bringt man sie aber nicht bald zu Ende, und lässt man mich erst hier in der Bibliothek und mit gewissen Arbeiten fertig werden, mit welchen ich nicht anders als in Wolfenbüttel fertig werden kann und muss,
30 wenn ich nicht alle meine daselbst zugebrachte Zeit verloren haben will: so soll mich sodann auch nichts in der Welt hier zu halten vermögend sein. Ich denke überall soviel wieder zu finden, als ich hier verlasse. Und wenn ich es auch nicht wieder fände. Lieber betteln gegangen, als so mit sich handeln lassen!«

Ebd. S. 79 f.

Gotthold Ephraim Lessing: Brief an Johann Joachim Eschenburg vom 31. Dezember 1777

Q »Ich ergreife den Augenblick, da meine Frau ganz ohne Besonnenheit liegt, um Ihnen für Ihren gütigen Anteil zu danken. Meine Freude war nur kurz: Und ich verlor ihn so ungern, diesen Sohn! Denn er hatte so viel Verstand! so viel Verstand! – Glauben Sie
5 nicht, dass die wenigen Stunden meiner Vaterschaft mich schon zu so einem Affen von Vater gemacht haben! Ich weiß, was ich sage. – War es nicht Verstand, dass man ihn mit eisernen Zangen auf die Welt ziehen musste? dass er sobald Unrat merkte? – War es nicht Verstand, dass er die erste Gelegenheit ergriff, sich wieder davon zu

machen? – Freilich zerrt mir der kleine Ruschelkopf auch die Mutter mit fort! – Denn noch ist wenig Hoffnung, dass ich sie behalten werde. – Ich wollte es auch einmal so gut haben, wie andre Menschen. Aber es ist mir schlecht bekommen.« 10

Gotthold Ephraim Lessings Briefwechsel mit Karl Wilhelm Ramler, Johann Joachim Eschenburg und Friedrich Nicolai. Berlin/Stettin: Nicolai, 1794. S. 72.

4. Entstehungsgeschichte

Mit seinem Trauerspiel *Emilia Galotti* greift Lessing einen häufig bearbeiteten Stoff aus der Geschichte Roms auf. Der römische Historiker Titus Livius (59 v. Chr. – um 17 n. Chr.) berichtet in seinem Werk *Ab urbe condita* im dritten Buch die Geschichte der römischen Bürgertochter Virginia (auch Verginia), Tochter des Verginius. Die Geschichte dient bei Livius vor allem dazu, die durch die Willkürherrschaft und den Machtmissbrauch eines Einzelnen politisch brisante Lage dieser Zeit darzustellen.

Lessing hatte sich seit 1757 immer wieder mit dem Stoff beschäftigt und eine »bürgerliche Virginia« geplant, in deren Mittelpunkt aus dramentheoretischen Überlegungen weniger das Politische und stärker die Auseinandersetzung mit dem bürgerlichen Tugendbegriff stehen sollte. Ihm war wichtig, dass der Abstand zwischen den Zuschauern und den auf der Bühne Handelnden gering gehalten wird. Nur so kann ein Mitleiden möglich werden, das in kathartischer (reinigender) Absicht in Tugendhaftigkeit überführt wird. Indem er das Mitleiden im Theater als eine »gemischte Empfindung« auffasst, die sowohl Lust als auch Unlust auslöst, kann Lessing Erkenntnis und Reflexion als Wirkung voraussetzen.

In der *Neuen Bibliothek der schönen Wissenschaften und der freyen Künste* hatte Lessing gemeinsam mit den Aufklärern Friedrich Nicolai (1733–1811) und Moses Mendelssohn (1729–1786) im Jahr 1757 eine Preisaufgabe ausgeschrieben – gesucht wurde ein beispielhaftes deutsches Trauerspiel. Dies war für Lessing Anstoß, selbst die Arbeit an einem Trauerspiel aufzunehmen, freilich gegenüber seinen Mitstreitern noch als Anonymus, also ohne Namensnennung. Sein Trauerspiel *Emilia Galotti* stellt Lessing dann aber erst 1772 in Wolfenbüttel fertig, nachdem er auch während seiner Zeit in Hamburg an ihm weitergearbeitet hatte. Sein Bruder Karl, einer seiner ersten Leser und Kritiker, äußerte sich sehr genau zur Figurengestaltung und Anlage des Dramas, und einige Änderungen scheinen auf seine Anmerkungen zurückzugehen.

4.1 Die Legende um Virginia

Das Schicksal der Virginia (auch Verginia, 5. Jh. v. Chr.), der von ihrem Vater getöteten Römerin, ist vielfach überliefert worden, u. a.

von Cicero (*De finibus* 2,66) und Dionysios von Halikarnassos (*Antiquitates Romanae* 11,28–32).

Titus Livius erzählt die Geschichte der Tochter des Verginius in seiner römischen Geschichte *Ab urbe condita*. Die Ereignisse werden auf 304/305 Jahre nach der Gründung der Stadt datiert, d. h. 448/447 v. Chr. Der politische Hintergrund, vor dem die Legende über die Tochter des Verginius einsetzt, ist das Ende des Dezemvirats von Appius Claudius, einer Zeit, die gekennzeichnet ist von der Auseinandersetzung um die Wiedereinsetzung der politischen Institutionen. Diese waren nur auf Zeit außer Kraft gesetzt worden. Den Dezemvirn, zehn Männern aus dem Senat, die die Gesetzgebung reformieren sowie schriftlich fixieren sollten, waren alle politischen Funktionen übertragen worden. Da es während dieser Zeit keine Vertreter der Plebejer, also keine Tribunen gab, konnten die Plebejer keinen Einspruch gegen die Beschlüsse von Konsuln und Senat einlegen. Die Spannungen zwischen den Patriziern und den Plebejern, die mit der neuen Gesetzgebung (Zwölftafelgesetz) in ihren Rechten beschnitten werden sollten, vertieften sich wieder. Die Freveltat, auf die Livius sich zu Beginn des Abschnittes bezieht, ist der Willkürmord an Lucius Sicius, sie gilt als ein Beispiel für den Machtmissbrauch der Dezemvirn.

Q

»[44] Es begab sich hierauf in der Stadt eine andere Untat, die von triebhafter Leidenschaft herrührte und die ebenso schrecklich endete wie die Vergewaltigung und der Tod der Lucretia, der zur Vertreibung der Tarquinier von Stadt und Thron geführt hatte, so dass für Dezemvirn wie für Könige nicht nur das Ende gleich, sondern (5) auch der Grund für den Verlust der Herrschaft derselbe war. Den Ap. Claudius packte das Verlangen, ein Mädchen aus dem Volk zu schänden. Der Vater des Mädchens, L. Verginius, war auf dem Algidus ein Zenturio von hohem Rang, ein Mann von beispielhafter Rechtschaffenheit in Krieg und Frieden. Ebenso war die Gattin er- (10) zogen, und so erzog man auch die Kinder. Die Tochter hatte er mit dem ehemaligen Volkstribunen L. Icilius verlobt, einem energischen Mann mit erprobtem Mut für die Sache des Volkes. Appius machte sich nun, aus Begierde wie von Sinnen, daran, dies gereifte und strahlend schöne Mädchen mit Geld und Versprechungen zu ver- (15) führen, doch nachdem er bemerkt hatte, wie wohlverwahrt in Anständigkeit alles bei ihr war, richtete er sein Sinnen auf eine rohe und frevelhafte Gewalttat.

Er gab seinem Gefolgsmann M. Claudius den Auftrag, das Mädchen als Sklavin zu beanspruchen und jenen nicht nachzugeben, die seine vorläufige Freilassung forderten; er glaubte nämlich, die Abwesenheit des Vaters biete ihm Freiraum zum Unrecht. Als das Mädchen auf das Forum kam – in den dortigen Buden befanden sich nämlich die Elementarschulen –, legte ihr der Scherge des wollüstigen Dezemvirn die Hand auf und nannte sie Tochter seiner Sklavin, also selbst Sklavin, und befahl ihr, ihm zu folgen – sträube sie sich, würde er sie gewaltsam abführen. Das Mädchen erstarrte vor Entsetzen, doch führte das Geschrei ihrer Amme, welche die Bürger um Schutz anrief, zu einer großen Menschenansammlung; die dem Volk teuren Namen des Vaters Verginius und ihres Verlobten Icilius waren in aller Munde. Die Gunst, derer sie sich erfreuten, stimmte die Bekannten, die Empörung über den Vorfall die Masse dem Mädchen gewogen. Schon war sie vor Gewalt sicher, als der Kläger sagte, die Aufregung der Menge sei vollkommen unangebracht, da er nach Recht, nicht nach Gewalt vorgehe. Er lud das Mädchen vor Gericht, und da ihr selbst ihr Anhang riet, zu folgen, traten alle vor den Richterstuhl des Appius. Der Kläger spielte dem Richter ein bekanntes, weil von diesem selbst inszeniertes Stück vor: das Mädchen sei in seinem Haus geboren worden, doch habe man es gestohlen, ins Haus des Verginius gebracht und diesem unterschoben; er habe das, was er vorbringe, aufgrund einer Anzeige erfahren und werde sogar dann, wenn Verginius selbst der Richter wäre, beweisen, wen dies Verbrechen mehr als andere treffe. Bis dahin sei es billig, dass die Magd ihrem Herren folge. Nachdem die Verteidiger des Mädchens vorgebracht hatten, dass sich Verginius im Dienste des Staates auswärts befinde, er nach einer Benachrichtigung in zwei Tagen zur Stelle sein könne, und es ungerecht sei, wenn jemand in seiner Abwesenheit um seine Kinder kämpfen müsse, forderten sie, Appius solle die ganze Angelegenheit bis zur Ankunft des Vaters vertagen, gemäß dem von ihm erlassenen Gesetz vorläufig auf Freiheit entscheiden und nicht zulassen, dass eine junge, aber doch schon erwachsene Frau eher ihren Ruf als ihre Freiheit einer Gefahr aussetze.

[45] Appius schickte seiner Entscheidung die Erklärung voraus, dass genau das Gesetz, welches die Freunde des Verginius zum Vorwand ihrer Forderungen nahmen, deutlich zeige, wie sehr er die Freiheit gefördert habe; im übrigen werde es der Freiheit nur dann sicheren Schutz bieten, wenn es sich nicht nach Fall oder Person ändere. Dies Recht komme denen zugute, die für frei erklärt werden

sollten, weil jedermann einen Prozess anstrengen könne: doch im Fall einer Person, die unter der Rechtsgewalt des Vaters stehe, gebe es außer diesem niemanden, demgegenüber der Eigentümer von seinem Besitzrecht zurücktreten müsse. Daher beschließe er, dass der Vater vorgeladen werde; in der Zwischenzeit solle der Besitzkläger, um seinen Rechtsanspruch nicht zu verlieren, das Mädchen mit sich führen und versprechen, es bei der Ankunft dessen, den man Vater nenne, vor Gericht zu bringen.

Da viele gegen die Ungerechtigkeit des Urteils murrten, aber auch nicht einer den offenen Protest wagte, schritten P. Numitorius, der Großvater des Mädchens, und ihr Verlobter Icilius ein; die Menschen hatten ihnen Platz gemacht – die Menge glaubte ja, durch einen Einspruch des Icilius könne man sich Appius am ehesten widersetzen –, da verkündete ein Liktor, die Entscheidung sei gefallen, und drängte den protestierenden Icilius beiseite. Eine derart bittere Kränkung hätte auch ein friedfertiges Gemüt in Flammen gesetzt. ›Mit dem Schwerte musst du mich von hier vertreiben, Appius‹, sagte er, ›damit du im stillen erreichst, was du verheimlicht haben willst! Ich werde diese junge Frau heiraten und will sie als keusche Braut besitzen! Rufe demnach alle Liktoren, auch die deiner Kollegen zusammen und lass Ruten und Beile bereithalten: des Icilius Verlobte wird im Hause ihres Vaters bleiben! Wenn ihr den Bürgern Roms auch den Beistand der Tribunen und das Berufungsrecht, die zwei Festen zum Schutze der Freiheit, genommen habt, so ist deswegen eurer Gier keine Allmacht über unsere Frauen und Kinder gegeben. Wütet gegen unsere Rücken und unsere Nacken: wenigstens die Keuschheit soll unangetastet bleiben! Falls ihr Gewalt angetan wird, so werde ich die hier versammelten Bürger für meine Braut, wird Verginius die Soldaten für seine einzige Tochter, werden alle die Götter und Menschen um Schutz anflehen, und du wirst jenes Urteil niemals durchsetzen können, ohne unser Blut zu vergießen. Ich fordere, Appius, dass du deine weiteren Schritte gründlich bedenkst. Verginius mag sich nach seiner Rückkehr überlegen, was er in der Sache seiner Tochter zu unternehmen hat; er soll nur das eine wissen, dass er eine andere Partie für seine Tochter suchen muss, wenn er den Ansprüchen dieses Mannes nachgibt. Solange ich die Freiheit meiner Braut fordere, wird mir eher mein Leben als meine Treue entschwinden.‹

[46] Die Menge war erregt, und ein Kampf schien nahe. Liktoren hatten Icilius schon umstellt, doch ging man über Drohungen nicht

hinaus, da Appius behauptete, Verginia werde von Icilius gar nicht verteidigt, sondern der friedlose und sogar jetzt noch vom Geiste der Tribunen beseelte Mann suche nach einer Möglichkeit zum Parteienkampf. Er werde ihm an diesem Tag keine Gelegenheit mehr dazu bieten; damit er aber jetzt einsehe, dass er das nicht seiner Unverschämtheit, sondern der Abwesenheit des Verginius, dem Namen ›Vater‹ und der Freiheit zu verdanken habe, wolle er an dem Tag weder Recht sprechen noch eine Entscheidung treffen: er werde M. Claudius bitten, von seinem Recht abzustehen und dem Mädchen bis zum nächsten Tag die Freiheit zu lassen; für den Fall, dass der Vater am Tag darauf nicht zur Stelle sein sollte, prophezeie er Icilius und ähnlichen Typen, dass er als Gesetzgeber weder von seinem Gesetz, noch als Dezemvir von seiner Beharrlichkeit abrücken werde; auch habe er keineswegs vor, die Liktoren seiner Kollegen zusammenzurufen, um die Rädelsführer eines Aufstandes in die Schranken zu weisen: seine eigenen würden ihm genügen.

Da die Stunde der Gewalt aufgeschoben war, zogen sich die Rechtsbeistände des Mädchens zurück; man beschloss hierauf, dass fürs erste der Bruder des Icilius und der Sohn des Numitorius, tatkräftige junge Männer, geradewegs von dort zum Stadttor aufbrechen und so schnell wie möglich Verginius aus dem Lager holen sollten: die Rettung des Mädchens hänge davon ab, ob er als ihr Beschützer vor Unrecht am nächsten Tag rechtzeitig zur Stelle sei. Mit diesem Befehl brachen sie auf, gaben ihren Pferden die Sporen und brachten die Nachricht dem Vater. Als der Kläger, der den Besitz des Mädchens forderte, darauf bestand, dass Icilius seine Rechte geltend machen und Bürgen stellen solle, und dieser behauptete, eben das geschehe, dabei aber absichtlich Zeit verstreichen ließ, bis die ins Lager geschickten Boten einen Vorsprung gewinnen konnten, da hob die Menge überall die Hände empor und jeder einzelne zeigte sich bereit, für Icilius Bürgschaft zu leisten. Und so entgegnete jener mit Tränen in den Augen: ›Habt Dank, am morgigen Tag will ich eure Hilfe beanspruchen, jetzt ist es genug der Bürgen.‹ So wurde Verginia auf das Wort ihrer Verwandten vorläufig freigelassen. Appius brach noch nicht sofort ab, um den Anschein zu vermeiden, er habe nur wegen dieser Angelegenheit Gericht gehalten; doch als niemand mehr vortrat – aus Interesse für den einen Fall hatte man alle anderen vergessen –, begab er sich nach Hause und schrieb seinen Kollegen im Lager, sie sollten Verginius keinen Ausgang geben und ihn darüber hinaus unter Bewachung stellen. Wie es geschehen musste, kam der schändliche Plan zu spät: Verginius hatte schon Ausgang genommen und war seit der ersten Nachtwache unterwegs, als am folgenden Morgen der Brief über seine Festnahme als gegenstandslos zugestellt wurde.

[47] In der Stadt dagegen stand die Bürgerschaft bei Anbruch des Tages gespannt vor Erwartung auf dem Forum; Verginius, im Gewande der Trauer, führte seine Tochter – auch sie im Büßerkleid – von etlichen ehrbaren Frauen und einer großen Zahl von Verteidigern geleitet aufs Forum hinab. Dort begann er, von einem zum andern zu gehen, um die Hilfe der Menschen zu werben und Unterstützung nicht nur als Gnadenerweis zu erbitten, sondern sie als schuldig zu fordern: er stehe für ihre Kinder und Frauen täglich in der vordersten Front, und es gebe keinen anderen Mann, über dessen wackere und tapfere Kriegstaten man sich mehr erzählen könne – was nütze das, wenn seine Kinder in der gesicherten Stadt das erleiden müssten, was man in einer eroberten als das Schlimmste befürchte. So beinahe im Ton eines Volksredners sprechend, trat er an die Menschen heran. Ähnliches wurde auch von Icilius vorgebracht. Die Geleitschar der Frauen rührte durch ihr lautloses Schluchzen mehr als jede Rede. All dem gegenüber hart im Herzen stieg Appius – des Wahnsinns eher denn der Liebe übergroße Macht hatte seinen Sinn verwirrt – auf die Richterbühne, und als sich der Kläger sogar noch in wenigen Sätzen darüber beschwerte, dass ihm am Vortag aus Parteilichkeit heraus nicht Recht gesprochen worden sei, schnitt er ihm das Wort ab, bevor er seine Forderung beendete oder Verginius die Gelegenheit zur Erwiderung gegeben wurde. Vielleicht haben die alten Geschichtsschreiber in irgendeiner Weise wahrheitsgemäß überliefert, welche Erklärung er seinem Urteil vorausschickte: weil ich aber nirgendwo eine entdecke, die angesichts der abgrundtiefen Niedertracht des Urteils wahrscheinlich ist, halte ich es für notwendig, das, was feststeht, ungeschminkt vorzulegen – seine vorläufige Entscheidung auf Unfreiheit. Anfänglich hielt die Verblüffung über die Unbegreiflichkeit derartiger Grausamkeit alle in ihrem Bann; eine Zeitlang herrschte hierauf noch Schweigen. Als dann aber M. Claudius daranging, das Mädchen aus dem Kreise der Frauen abzuführen, und ihm der Weiber klägliches Flehen entgegenschlug, erhob Verginius seine Hand gegen Appius und rief: ›Dem Icilius, nicht dir, Appius, habe ich meine Tochter verlobt und sie zur Ehe, nicht zur Hurerei erzogen: Soll man sich nach Art des Viehs und der wilden Tiere ohne Un-

terschied lüstern aufs Beilager werfen? Ob die hier das zulassen
180 werden, weiß ich nicht; ich erwarte, dass es die nicht tun werden,
die Waffen tragen.‹

Als der Kläger, der das Mädchen forderte, von der Schar der Frauen und umstehenden Freunde zurückgedrängt wurde, gebot der Herold Stillschweigen.

185 [48] Der Dezemvir, von wilder Leidenschaft gänzlich verblendet, erklärte, er habe nicht nur aus der gestrigen Schmährede des Icilius und dem Ungestüm des Verginius, wofür er das römische Volk zu Zeugen habe, sondern auch durch zuverlässige Aussagen in Erfahrung gebracht, dass es in der Stadt die ganze Nacht hindurch zu Zu-
190 sammenrottungen gekommen sei, um einen Aufstand zu entfachen. Daher sei er auf diese Auseinandersetzung sehr wohl vorbereitet mit Bewaffneten hergekommen, nicht um irgendeinem friedlichen Menschen Gewalt anzutun, sondern um gemäß der Hoheit seines Amtes die öffentlichen Ruhestörer in Schranken zu halten. ›Deshalb
195 wird es besser sein, Ruhe bewahrt zu haben. Geh, Liktor‹, sagte er, ›dränge die Menge zurück und schaffe Weg für den Herrn, damit er sein Eigentum in Besitz nehmen kann!‹ Als er so voll Zorn losgedonnert hatte, trat die Menge aus eigenen Stücken auseinander, und, dem Unrecht als Beutestück ausgeliefert, stand da – das Mäd-
200 chen. Jetzt, als er nirgendwo Hilfe sah, begann Verginius: ›Ich bitte dich, Appius, verzeihe zuerst dem Schmerz eines Vaters, wenn ich je allzu schroff gegen dich vorgegangen bin; erlaube dann, hier im Beisein des Mädchens die Amme zu befragen, was es mit der Sache auf sich hat, damit ich gelasseneren Sinnes von hier gehe, sollte ich
205 fälschlich Vater genannt sein.‹ Wie er die Erlaubnis dazu erhalten hatte, führte er Tochter und Amme zu den Läden in der Nähe des Heiligtumes der Cloacina, die jetzt die ›Neuen‹ heißen, entriss dort einem Fleischer das Messer und sprach: ›Mit dem einzigen Mittel, dessen ich mächtig bin, rette ich dich, meine Tochter, in die Frei-
210 heit.‹ Hierauf durchbohrte er die Brust des Mädchens und rief zur Richterbühne zurückblickend: ›Dich, Appius, und dein Haupt verfluche ich bei diesem Blute!‹ Beunruhigt vom Gebrüll, das sich auf die abscheuliche Tat hin erhoben hatte, befahl Appius, den Verginius zu verhaften. Jener bahnte sich mit dem Messer den Weg, wo
215 immer er ging, bis er auch durch den Schutz der nachfolgenden Menge das Stadttor erreichte. Icilius und Numitorius hoben den leblosen Körper auf und zeigten ihn dem Volk; sie beklagten das Verbrechen des Appius, des Mädchens unselige Wohlgestalt und die

Zwangslage des Vaters. Es folgten die Klagen der Mütter: das seien die Verhältnisse, unter denen man Kinder aufziehen müsse, das sei der Lohn für Anständigkeit. Dann all das andere, das der Schmerz den Klagen der Frauen in solcher Lage eingibt, die um so rührender sind, desto bitterer das Leid für ihren ungefestigten Charakter ist. Die Reden der Männer und vor allem die des Icilius gehörten ganz der tribunizischen Amtsgewalt, dem entrissenen Recht auf Berufung an das Volk und überhaupt der Empörung über die politischen Zustände.«

220

225

Titus Livius: Ab urbe condita / Römische Geschichte. Liber III / 3. Buch. Lat./Dt. Übers. und hrsg. von Ludwig Fladerer. Rev. und bibliogr. erg. Ausg. Stuttgart: Reclam, 2008. S. 127–141.

In der Folge dieser Ereignisse gab es vermehrt Unruhen in der Stadt. Verginius gelang es, im Lager die Soldaten dazu zu bringen, den Kampf gegen die Sabiner zu beenden. Er zog mit ihnen auf den Aventin, einen der die Stadt umgebenden Hügel. Der Senat wurde so dazu gezwungen, mit den Plebejern zu verhandeln. Schließlich mussten die *decemviri* zurücktreten, Tribunat sowie *provocatio* (›Volksversammlung‹) wurden wieder eingesetzt. Appius kam ins Gefängnis und nahm sich das Leben, um einem drohenden Todesurteil zu entgehen.

4.2 Lessings Umsetzung des Virginia-Stoffes

Gotthold Ephraim Lessing: Brief an Friedrich Nicolai vom 21. Januar 1758

Q

»Unterdes würde mein junger Tragikus fertig, von dem ich mir, *nach meiner Eitelkeit*, viel Gutes verspreche; denn er arbeitet ziemlich wie ich. Er macht alle sieben Tage sieben Zeilen; er erweitert unaufhörlich seinen Plan, und streicht unaufhörlich von dem schon Ausgearbeiteten wieder aus. Sein jetziges Sujet ist eine bürgerliche Virginia, der er den Titel *Emilia Galotti* gegeben. Er hat nehmlich die Geschichte der römischen Virginia von allem dem abgesondert, was sie für den ganzen Staat interessant machte; er hat geglaubt, dass das Schicksal einer Tochter, die von ihrem Vater umgebracht wird, dem ihre Tugend werter ist, als ihr Leben, für sich schon tragisch genug, und fähig genug sei, die ganze Seele zu erschüttern, wenn auch gleich kein Umsturz der ganzen Staatsverfassung darauf folgte.

5

10

Erster Aufzug.
(die Scene, ein Cabinet des Prinzen)
Erster Auftritt.
Der Prinz, an einem Arbeitstische, voller Briefschaften und Papiere, deren einige er durchläuft.

Klagen, nichts als Klagen! Bittschriften, nichts als Bittschriften! – Die traurigen Geschäfte; und man beneidet uns noch! – Das glaub' ich; wenn wir allen helfen könnten: dann wären wir zu beneiden. – Emilia? (Indem er noch eine von den Bittschriften aufschlägt, und nach dem unterschriebenen Namen sieht.) Eine Emilia? – Aber eine Emilia Bruneschi – nicht Galotti. Nicht Emilia Galotti! – Was will sie, diese Emilia Bruneschi? (Er lieset.) Viel gefodert; sehr viel. – Doch sie heißt Emilia. Gewährt! (Er unterschreibt und klingelt; worauf ein Kammerdiener hereintritt.) Es ist wohl noch keiner von den Räthen in dem Vorzimmer?
Der Kammerdiener. Nein.
Der Prinz. Ich habe zu früh Tag gemacht. – Der Morgen ist so schön. Ich will ausfahren. Marchese Marinelli soll mich begleiten. Laßt ihn rufen. (Der Kammerdiener geht ab.) – Ich kann doch nicht mehr arbeiten. – Ich war so ruhig, bild' ich mir ein, so ruhig – Auf einmal muß eine arme Bruneschi, Emilia heißen – weg ist meine Ruhe, und alles! –
Der Kammerdiener (welcher wieder hereintritt.) Nach dem Marchese ist geschickt. Und hier, ein Brief von der Gräfin Orsina.
Der Prinz. Der Orsina? Legt ihn hin.
Der Kammerdiener. Ihr Läufer wartet.
Der Prinz. Ich will die Antwort senden; wenn es einer bedarf. – Wo ist sie? In der Stadt? oder auf ihrer Villa?
Der Kammerdiener. Sie ist gestern in die Stadt gekommen.
Der Prinz. Desto schlimmer – besser; wollt' ich sagen. So braucht der Läufer um so weniger zu warten. (Der Kammerdiener geht ab.) Meine theure Gräfin! (Bitter, indem er den Brief in die Hand nimmt.) So gut, als gelesen! (und ihn wieder wegwirft.) Nun ja; ich habe sie zu lieben geglaubt! Was glaubt man nicht alles! – Kann seyn, ich habe sie auch wirklich geliebt. Aber – ich habe!

Abb. 2: Beginn des ersten Aufzugs in der Handschrift Lessings

Seine Anlage ist nur von drei Akten, und er braucht ohne Bedenken alle Freiheiten der englischen Bühne. Mehr will ich Ihnen nicht davon sagen; so viel aber ist gewiss, ich wünschte den Einfall wegen des Sujets selbst gehabt zu haben. Es dünkt mich so schön, dass ich es ohne Zweifel nimmermehr ausgearbeitet hätte, um es nicht zu verderben.«

Gotthold Ephraim Lessing: Sämtliche Schriften. Hrsg. von Karl Lachmann. 3., aufs neue durchges. und verm. Aufl. bes. von Franz Muncker. Bd. 17. Stuttgart: Göschen, 1904. Unveränd. fotomech. Nachdr.: Berlin: De Gruyter, 1968. S. 133.

Karl Lessing: Brief an Gotthold Ephraim Lessing vom 3. Februar 1772

Q

»In Deiner Emilia Galotti herrscht ein Ton, den ich in keiner Tragödie, so viel ich deren gelesen, gefunden habe; ein Ton, der nicht das Trauerspiel erniedrigt, sondern nur so herunterstimmt, dass es ganz natürlich wird, und desto leichter Eingang in unsere Empfindungen erhält. [...] Ich bin begierig, ob Du Dich in diesem Tone bis an das Ende erhalten wirst. 5

[...] in der Szene, wo die Tochter der Mutter ihren Vorfall in der Kirche erzählt, hat der Abschreiber einen Fehler gemacht. Er hat die Worte *Die Furcht hat ihren besonderen Sinn* der Emilia in den Mund gelegt, welche sie in ihrer furchtsamen Fassung nicht sagen kann; sie kommen der Claudia zu. 10

Aber die Wahrheit der Charaktere, die Du zeichnest, muss ich noch über die Schönheit der Sprache setzen. Der Prinz von Guastalla ist, wie unsere guten Prinzen, klug, verständig, zurückhaltend, von heftigen Leidenschaften, verliebt oder ehrgeizig – diesen Leidenschaften opfern sie alles auf, so menschlich sie auch sonst sind. Die Szenen zwischen Rota und dem Prinzen, ingleichem die mit dem Maler werden Deine Kenntnis dieser Menschen Zeile für Zeile bezeichnen. Marinelli, ein wahrer feiner Kammerherr! Und die Szene, wo er dem rechtschaffenen Appiani die Gesandtenstelle im Namen des Prinzen anträgt – wie *die* bei der Vorstellung gefallen wird, bin ich begierig. Meinen völligen Beifall hat sie; aber leider! habe ich die Erfahrung, dass dasjenige, was mir außerordentlich gefallen hat, oft von dem Publicum sehr kalt aufgenommen worden ist. 15 20

Nur wider die Emilia Galotti habe ich etwas auf dem Herzen. Ich sollte zwar gar nicht mit meiner Kritik herausrücken; denn vermutlich wird Emilia in den letzten Akten tätiger sein, und sich also auch ihr Charakter deutlicher entwickeln. Aber warum sollte ich Dir meine Ratte verbergen! Noch hast Du sie nur als fromm und gehorsam geschildert. Aber ihre Frömmigkeit macht mir sie – aufrichtig! – etwas verächtlich, oder, wenn das zu viel ist, zu klein, als dass sie zum Gegenstand der Lehre, des edlen Zeitvertreibs und der Kenntnis für so viele tausend Menschen dienen könnte. Du wirst zwar sagen: so werden die Mädchen in Italien erzogen; so denken sie; so handeln sie; noch hat sich keine Spur von Freidenkerei in ihre Religion eingeschlichen. Alles gut, lieber Bruder. Allein über das Lokale sollte man nicht höhere Zwecke vergessen. Jede gute Person, die ein einnehmendes Muster für die Zuhörer sein soll, könnte 25 30 35

zwar ihre Mutterreligion haben; aber sie müsste nicht solche Punkte
40 derselben äußern, die einen gar zu kleinen Verstand, gar zu wenig
Selbstdenken verraten: sondern nur das, was die allgemeine Religion aller rechtschaffnen und denkenden Menschen billigt und auszuüben trachtet. Emilia geht in die Messe. – Sie ist eine Katholikin. – Mag sie doch! Sie redet auch von den Bedeutungen der Perlen im
45 Traum. Auch dass sie sogar ängstlich tut, weil sie der Prinz in der Messe angeredet, macht mir keinen großen Begriff von ihrem Verstande; und ein gar zu kleiner Verstand mit dem besten Herzen deucht mir für die edlen Personen des Trauerspiels unter der Würde desselben. Und nimmt man vollends Rücksicht auf die Zuschauer in
50 Berlin, die unter den freier denkenden Deutschen die freidenkendsten sind, so glaube ich – hätte ich Recht. Vorausgesetzt, dass Deine Emilia in den letzten Akten keine anderen Vorzüge zeigt.

Deine Minna, Deine Miss Sara, Deine Juliane sind auch fromm; aber sie haben nicht das Pedantische der Religion, sie haben das, was
55 man an seinem geliebten Gegenstande zu finden wünscht.

Aber mache nur, dass ich das Trauerspiel bald ganz lesen kann. Ich will doch nicht hoffen, dass Du Deiner Arbeit überdrüssig bist? Ich dächte, es wäre ein großes Vergnügen, für Anderer Vergnügen zu arbeiten.«

Gotthold Ephraim Lessing: Sämtliche Schriften. Hrsg. von Karl Lachmann. 3., aufs neue durchges. und verm. Aufl. bes. von Franz Muncker. Bd. 20. Stuttgart: Göschen, 1905. Unveränd. fotomech. Nachdr.: Berlin: De Gruyter, 1968. S. 127–129.

Gotthold Ephraim Lessing: Brief an den Bruder Karl Lessing vom 10. Februar 1772

Q

»Es ist mir sehr lieb, dass Dir mein Ding von einer Tragödie noch so ziemlich gefallen hat. Und Deine Anmerkungen darüber sind mir sehr willkommen gewesen. Ich bitte Dich, auch in Ansehung des Überrestes damit fortzufahren.

5 [...] *Die Furcht hat ihren besonderen Sinn*; muss ich Dir gestehen, ist, so wie sie ist, zwar kein Fehler des Abschreibers. Doch lass ich mir Deine Veränderung gefallen. Im Grunde soll es gar keine besondere tiefe Anmerkung sein, welche Emilia freilich in ihrer Verfassung nicht machen könnte; sondern sie soll bloß damit sagen wol-
10 len, dass sie nun wohl sehe, die Furcht habe sie getäuscht. Aber freilich, der Ausdruck ist ein wenig zu gesucht. Wenn es der Claudia

in den Mund gelegt wird, so lass hinter das Wort *Sinn* nur einen Strich (–) setzen, dass es mit dem Folgenden nicht zusammen ausgesprochen wird.

Was Du von dem Charakter der Emilia sagst, hat viel Wahres. 15
Aber so ganz Recht kann ich Dir doch nicht geben, aus folgenden Ursachen:

1) Weil das Stück Emilia heißt, ist es darum mein Vorsatz gewesen, Emilien zu dem hervorstechendsten, oder auch nur zu einem hervorstechenden Charakter zu machen? Ganz und gar nicht. Die 20
Alten nannten ihre Stücke wohl nach Personen, die gar nicht aufs Theater kamen.

2) Die jungfräulichen Heroinen und Philosophinnen sind gar nicht nach meinem Geschmacke. Wenn Aristoteles von der Güte der Sitten handelt, so schließt er die Weiber und Sklaven ausdrück- 25
lich davon aus. Ich kenne an einem unverheirateten Mädchen keine höhere Tugenden, als Frömmigkeit und Gehorsam.

3) Zeigt denn jede Beobachtung der äußerlichen Gebräuche einer positiven Religion von Aberglauben und schwachem Geiste? Wolltest Du wohl alle die ehrlichen Leute verachten, welche in die Messe 30
gehen, und während der Messe ihre Andacht abwarten wollen, oder Heilige anrufen? – Wegen des Zuges mit dem Traume hast Du ganz Unrecht; wesfalls Du das Manuskript nur wieder nachsehen darfst. Emilia glaubt nicht an den Traum; sondern sie erkennt mit ihrer Mutter den Traum für sehr natürlich: wegen ihres größern Ge- 35
schmacks an Perlen als an Steinen. Aber, ob sie schon nicht an den Traum als Vorbedeutung glaubt: so darf er doch gar wohl sonst Eindrücke auf sie machen. Appiani ist es, der sich dabei länger aufhält, als sie beide. Aber auch den lasse ich die Ursache davon angeben.

4) Am Ende wird denn auch freilich der Charakter der Emilia in- 40
teressanter, und sie selbst tätiger. – Nur käme das ein wenig zu spät, wenn es wahr wäre, dass sie schon einen kleinen Begriff von sich erweckt hätte. –

Doch es sei mit dem allen, wie es wolle; wenn das Stück nur im Ganzen Wirkung hervorbringt. […] 45

Was Du von dem Charakter der Orsina sagen wirst, verlangt mich am meisten zu hören. Wenn er einer guten Schauspielerin in die Hände fällt, so muss er Wirkung tun.«

Gotthold Ephraim Lessing: Sämtliche Schriften. Hrsg. von Karl Lachmann. 3., aufs neue durchges. und verm. Aufl. bes. von Franz Muncker. Bd. 18. Stuttgart: Göschen, 1907. Unveränd. fotomech. Nachdr.: Berlin: De Gruyter, 1968. S. 18 f.

Karl Lessing: Brief an Gotthold Ephraim Lessing vom 12. März 1772

Q

»Ich habe Deine Emilia nun hinter einander gelesen, und Du kannst Dir leicht vorstellen, dass sie, da sie mir schon stückweise so wohl gefiel, im Ganzen eine noch größere Wirkung auf mich getan hat […].

5 Du erinnerst Dich doch noch, dass mir die Emilia im Anfange nicht so vorzüglich gefallen. Du hast mir daher einige Deiner Gründe angeführt, von denen aber keiner Stich zu halten schien, als der letzte, als Du sagtest: ›Am Ende wird denn auch freilich der Charakter der Emilia interessanter, und sie selbst tätiger.‹ – Denn das ist 10 nicht allein geschehen, sondern der Schluss hätte auch nicht so werden können, wenn Du sie nicht vom Anfange so geschildert hättest. Höchst religiös, die Tugend der Keuschheit für die höchste Tugend haltend ist Emilia; und das letzte hat sie bloß durch ihre fast blinde Anhänglichkeit an die katholische Religion werden können. Meine 15 Absicht ist übrigens nicht sowohl gewesen, Dir als Dichter damit einen Vorwurf zu machen, sondern nur Deine Ursache zu wissen, warum Du, als Dichter, ein Vorurteil mit zu bestärken für gut befunden hättest […].

Aber mir deucht, dass es Vorsatz von Dir ist, hier die Sprache et- 20 was anders zu machen, als sie von Natur sein sollte. Denn was reizt nach vielfältiger Wiederholung des Stücks, es immer wieder zu lesen? Die körnichte Sprache und die Charaktere. Das Schicksal der Hauptpersonen ist uns bekannt, und das Stück macht nur noch vermittelst der beiden ersten Vorzüge auf uns Eindruck. Ein langes sü- 25 ßes Gerede wird nach dem ersten Lesen fade und ekelhaft; so wie das süßsprechende Mädchen im öftern Umgange lästig wird, wenn es nicht unsere Geliebte ist.

[…] Wie ist die Aufführung in Braunschweig ausgefallen?

Gotthold Ephraim Lessing: Sämtliche Schriften. Hrsg. von Karl Lachmann. 3., aufs neue durchges. und verm. Aufl. bes. von Franz Muncker. Bd. 20. Stuttgart: Göschen, 1905. Unveränd. fotomech. Nachdr.: Berlin: De Gruyter, 1968. S. 145–147.

Emilia Galotti.

Ein Trauerspiel
in
fünf Aufzügen.

Von
Gotthold Ephraim Lessing.

Berlin,
bey Christian Friedrich Voß, 1772.

Abb. 3: Titelseite eines der vier Drucke von 1772

4.3 Lessings Überlegungen zum Trauerspiel

Von Lessing gibt es viele Ausführungen zum Trauerspiel. Sie stehen im Kontext von grundlegenden gattungs-, stil-, theater- und kulturgeschichtlichen Aufbrüchen in der Dramatik seit der Mitte des 18. Jahrhunderts. Das bis dahin gültige Gattungsgesetz, nach dem Tragödien Unglücksfälle von Personen aus hohem Stand, Fürsten und Adlige, in hohem Stil und gereimten Versen zum Gegenstand haben, Komödien dagegen lächerliche oder rührende Konflikte von Personen aus niedrigem Stand, Bürgern und Bauern, in Prosarede, wird außer Kraft gesetzt. George Lillo (1693–1739) in England, Denis Diderot (1713–1784) in Frankreich sowie Lessing in Deutschland begründeten eine Dramatik, die diese Trennungen beendete. Die Ständeklausel und die mit ihr verbundenen Stil- und Gattungsnormen fielen. »Bürgerlich« meint ›privat‹, ›häuslich‹, ›menschlich‹ und zielt in Verbindung mit dem Trauerspiel darauf, dass hier private, häusliche Konflikte unabhängig von ständischen Grenzen dargestellt werden.

Lessings Überlegungen zum Trauerspiel sind nicht zusammengefasst in einer Abhandlung niedergelegt, sondern nach und nach entwickelt und verändert worden, in Auseinandersetzung sowohl mit der zeitgenössischen Bühne als auch mit der Tradition der europäischen Literatur.

Das Ziel Lessings im Trauerspiel ist die Katharsis, die Umformung von Leidenschaften in tugendhafte Fertigkeiten. Ausgangspunkt ist die Erregung von Mitleid. Damit diese Wirkung erreicht wird, darf der Abstand zwischen den Zuschauern und dem Personal des Dramas auf der Bühne nicht zu groß sein, es müssen die Schicksale von Menschen »von gleichem Schrot und Korne« dargestellt werden. Das Mitleiden führt zur Katharsis, der Reinigung, indem die Leidenschaften in tugendhafte Fertigkeiten umgewandelt werden. Lessing plädiert, Aristoteles und Diderot folgend, für »gemischte Charaktere«, die lebensecht und glaubwürdig erscheinen.

Gotthold Ephraim Lessing: »Über Mitleid«, Brief an Friedrich Nicolai im November 1756

Q

»Aber das erkenne ich für wahr, dass kein Grundsatz, wenn man sich ihn recht geläufig gemacht hat, bessere Trauerspiele kann hervorbringen helfen, als der: *Die Tragödie soll Leidenschaften erregen.* [...]

Kurz, ich finde keine einzige Leidenschaft, die das Trauerspiel in dem Zuschauer rege macht, als das Mitleiden. Sie werden sagen: erweckt es nicht auch Schrecken? erweckt es nicht auch Bewunderung? Schrecken und Bewunderung sind keine Leidenschaften, nach meinem Verstande. [...]

Das Schrecken in *der Tragödie* ist weiter nichts als die plötzliche Überraschung des Mitleides, ich mag den Gegenstand meines Mitleids kennen oder nicht. [...]

Nun zur Bewunderung! Die Bewunderung! *O in der Tragödie*, um mich ein wenig orakelmäßig auszudrucken, ist das entbehrlich gewordene Mitleiden. Der Held ist unglücklich, aber er ist über sein Unglück so weit erhaben, er ist selbst so stolz darauf, dass es auch in meinen Gedanken die schreckliche Seite zu verlieren anfängt, dass ich ihn mehr beneiden als bedauern möchte.

Die Staffeln sind also diese: Schrecken, Mitleid, Bewunderung. Die Leiter aber heißt: Mitleid; und Schrecken und Bewunderung sind nichts als die ersten Sprossen, der Anfang und das Ende des Mitleids. [...] Wenn es also wahr ist, dass die ganze Kunst des tragischen Dichters auf die sichere Erregung und Dauer des einzigen Mitleidens geht, so sage ich nunmehr, die Bestimmung der Tragödie ist diese: sie soll *unsere Fähigkeit, Mitleid zu fühlen*, erweitern. Sie soll uns nicht bloß lehren, gegen diesen oder jenen Unglücklichen Mitleid zu fühlen, sondern sie soll uns so weit fühlbar machen, dass uns der Unglückliche zu allen Zeiten, und unter allen Gestalten, rühren und für sich einnehmen muss. [...] *Der mitleidigste Mensch ist der beste Mensch*, zu allen gesellschaftlichen Tugenden, zu allen Arten der Großmut der aufgelegteste. Wer uns also mitleidig macht, macht uns besser und tugendhafter, und das Trauerspiel, das jenes tut, tut auch dieses, oder – es tut jenes, um dieses tun zu können.«

Gotthold Ephraim Lessing: Sämtliche Schriften. Hrsg. von Karl Lachmann. 3., aufs neue durchges. und verm. Aufl. bes. von Franz Muncker. Bd. 17. Stuttgart: Göschen, 1904. Unveränd. fotomech. Nachdr.: Berlin: De Gruyter, 1968. S. 64–66.

Gotthold Ephraim Lessing: »Über Furcht und Mitleid«, *Hamburgische Dramaturgie*, 75. Stück, 19. Januar 1768

Q

»Die authentische Erklärung dieser Furcht, welche Aristoteles dem tragischen Mitleid beifüget, findet sich in dem fünften und achten Kapitel des zweiten Buchs seiner ›Rhetorik‹. […]

Es beruhet aber alles auf dem Begriffe, den sich Aristoteles von dem Mitleiden gemacht hat. Er glaubte nämlich, dass das Übel, welches der Gegenstand unsers Mitleidens werden solle, notwendig von der Beschaffenheit sein müsse, dass wir es auch für uns selbst, oder für eines von den Unsrigen, zu befürchten hätten. Wo diese Furcht nicht sei, könne auch kein Mitleiden stattfinden. Denn weder der, den das Unglück so tief herabgedrückt habe, dass er weiter nichts für sich zu fürchten sähe, noch der, welcher sich so vollkommen glücklich glaube, dass er gar nicht begreife, woher ihm ein Unglück zustoßen könne, weder der Verzweifelnde noch der Übermütige, pflege mit andern Mitleid zu haben. Er erkläret daher auch das Fürchterliche und das Mitleidswürdige, eines durch das andere. Alles das, sagt er, ist uns fürchterlich, was, wenn es einem andern begegnet wäre, oder begegnen sollte, unser Mitleid erwecken würde: […] und alles das finden wir mitleidswürdig, was wir fürchten würden, wenn es uns selbst bevorstünde. Nicht genug also, dass der Unglückliche, mit dem wir Mitleiden haben sollen, sein Unglück nicht verdiene, ob er es sich schon durch irgendeine Schwachheit zugezogen: seine gequälte Unschuld, oder vielmehr seine zu hart heimgesuchte Schuld, sei für uns verloren, sei nicht vermögend, unser Mitleid zu erregen, wenn wir keine Möglichkeit sähen, dass uns sein Leid auch treffen könne. Diese Möglichkeit aber finde sich alsdenn, und könne zu einer großen Wahrscheinlichkeit erwachsen, wenn ihn der Dichter nicht schlimmer mache, als wir gemeiniglich zu sein pflegen, wenn er ihn vollkommen so denken und handeln lasse, als wir in seinen Umständen würden gedacht und gehandelt haben, oder wenigstens glauben, dass wir hätten denken und handeln müssen: kurz, wenn er ihn mit uns von gleichem Schrot und Korne schildere. Aus dieser Gleichheit entstehe die Furcht, dass unser Schicksal gar leicht dem seinigen ebenso ähnlich werden könne, als wir ihm zu sein uns selbst fühlen: und diese Furcht sei es, welche das Mitleid gleichsam zur Reife bringe.

So dachte Aristoteles von dem Mitleiden, und nur hieraus wird die wahre Ursache begreiflich, warum er in der Erklärung der Tragödie, nächst dem Mitleiden, nur die einzige Furcht nannte. Nicht als ob diese Furcht hier eine besondere, von dem Mitleiden unabhängige Leidenschaft sei, welche bald mit bald ohne dem Mitleid, sowie das Mitleid bald mit bald ohne ihr, erreget werden könne; [...] sondern weil, nach seiner Erklärung des Mitleids, dieses die Furcht notwendig einschließt; weil nichts unser Mitleid erregt, als was zugleich unsere Furcht erwecken kann.«

G. E. Lessing: Hamburgische Dramaturgie. Hrsg. und kommentiert von Klaus L. Berghahn. Bibliogr. erg. Ausg. Stuttgart: Reclam, 1999 [u. ö.]. S. 384–386.

Gotthold Ephraim Lessing: »Über Katharsis«, *Hamburgische Dramaturgie*, 78. Stück, 29. Januar 1768

Q

»Da nämlich, es kurz zu sagen, diese Reinigung in nichts anderes beruhet als in der Verwandlung der Leidenschaften in tugendhafte Fertigkeiten, bei jeder Tugend aber, nach unserm Philosophen, sich diesseits und jenseits ein Extremum findet, zwischen welchem sie innestehet: so muss die Tragödie, wenn sie unser Mitleid verwandeln soll, uns von beiden Extremis des Mitleids zu reinigen vermögend sein; welches auch von der Furcht zu verstehen. Das tragische Mitleid muss nicht allein, in Ansehung des Mitleids, die Seele desjenigen reinigen, welcher zu viel Mitleid fühlet, sondern auch desjenigen, welcher zu wenig empfindet. Die tragische Furcht muss nicht allein, in Ansehung der Furcht, die Seele desjenigen reinigen, welcher sich ganz und gar keines Unglücks befürchtet, sondern auch desjenigen, den ein jedes Unglück, auch das entfernteste, auch das unwahrscheinlichste, in Angst setzet. Gleichfalls muss das tragische Mitleid, in Ansehung der Furcht, dem was zu viel, und dem was zu wenig, steuern: so wie hinwiederum die tragische Furcht, in Ansehung des Mitleids.«

Ebd. S. 401.

Gotthold Ephraim Lessing: »Über gemischte Charaktere«, *Hamburgische Dramaturgie*, 86. Stück, 26. Februar 1768

Q

»Diderot hat recht: es ist besser, wenn die Charaktere bloß verschieden, als wenn sie kontrastiert sind. Kontrastierte Charaktere sind minder natürlich und vermehren den romantischen Anstrich, an dem es den dramatischen Begebenheiten so schon selten fehlt. Für eine Gesellschaft im gemeinen Leben, wo sich der Kontrast der Charaktere so abstechend zeigt, als ihn der komische Dichter verlangt, werden sich immer tausend finden, wo sie weiter nichts als verschieden sind. Sehr richtig! Aber ist ein Charakter, der sich immer genau in dem graden Gleise hält, das ihm Vernunft und Tugend vorschreiben, nicht eine noch seltenere Erscheinung? Von zwanzig Gesellschaften im gemeinen Leben werden eher zehn sein, in welchen man Väter findet, die bei Erziehung ihrer Kinder völlig entgegengesetzte Wege einschlagen, als eine, die den wahren Vater aufweisen könnte. Und dieser wahre Vater ist noch dazu immer der nämliche, ist nur ein einziger, da der Abweichungen von ihm unendlich sind. Folglich werden die Stücke, die den wahren Vater ins Spiel bringen, nicht allein jedes vor sich unnatürlicher, sondern auch untereinander einförmiger sein, als es die sein können, welche Väter von verschiednen Grundsätzen einführen. Auch ist es gewiss, dass die Charaktere, welche in ruhigen Gesellschaften bloß verschieden scheinen, sich von selbst kontrastieren, sobald ein streitendes Interesse sie in Bewegung setzt. Ja es ist natürlich, dass sie sich sodann beeifern, noch weiter von einander entfernt zu scheinen, als sie wirklich sind. Der Lebhafte wird Feuer und Flamme gegen den, der ihm zu lau sich zu betragen scheinet: und der Laue wird kalt wie Eis, um jenem soviel Übereilungen begehen zu lassen, als ihm nur immer nützlich sein können.«

Ebd. S. 440.

Johann Gottfried Herder (1744–1803) über Lessings *Emilia Galotti*

Q

»Lessings Emilia Galotti hat mich wieder einmal ins Theater gelockt; wie zufrieden ja gesättigt bin ich hinausgegangen! Ein Theaterstück muss gesehen, nicht gelesen werden: denn wenn es ist, was es sein soll, so ist ja eben auf die Vorstellung alles berechnet. Ich kann mir nicht einbilden, dass wenn Stücke dieser Art, (aber auch keine andre als solche) wöchentlich nur Einmal, auf die leidlich-vollkommenste Weise gegeben würden, und diese Stücke lauter Stände und Situationen unsrer Welt, wie dieses, enthielten, das Publikum ungebildet, unerleuchtet bleiben könnte.

Bei der zweiten Ausgabe des *Diderot*schen Theaters bezeugte Lessing diesem Schriftsteller öffentlich seine Dankbarkeit als dem

Manne, der an der Bildung seines Geschmacks großen Anteil habe. ›Denn, fährt er fort, es mag mit diesem auch beschaffen sein, wie es will: so bin ich mir doch zu wohl bewusst, dass er ohne *Diderots* Muster und Lehren eine ganz andre Richtung würde bekommen haben. Vielleicht eine eignere; aber doch schwerlich eine, mit der am Ende mein Verstand zufriedener gewesen wäre.‹ Und setzt sodann weiter den Einfluss ins Licht, den *Diderots* Stücke, insonderheit sein *Hausvater* auf das Deutsche Theater gehabt habe.

Sie wissen, wieviel *Diderot* darauf hielt, dass *Stände* aufs Theater gebracht werden sollten, und was Lessing in seiner Dramaturgie dabei zu erinnern fand. Natürlich können Stände ohne bestimmte Charaktere auf dem Theater keine Wirkung tun; aber bilden sich die Charaktere der Menschen nicht in und nach Ständen? und welcher Stand hätte auf den Charakter mehr Einfluss, als der Stand eines Prinzen? Hier hatte also Lessing ein weites Feld, das *philosophische Allgemeine*, dadurch Aristoteles die Poesie von der nackten Geschichte unterscheidet, als Philosoph und Dichter zu bearbeiten. Er zeigt den Charakter des Prinzen in seinem Stande, den Stand in seinem Charakter, beide von mehreren Seiten, in mehreren Situationen. Nicht nur bringt er den Prinzen in seiner gegenwärtigen Gemütsstimmung mit den verschiedensten Personen, Männern und Weibern, mit Künstler und Kanzler, Kammerherr und Kammerdiener, mit einer Geliebten, die er jetzt nicht geliebt haben, und einer andern, die jetzt von ihm eben nicht geliebt sein will, mit dem Vater, der Mutter, dem Bräutigam derselben, ja mit sich selbst in Gespräch und Handlung; er unterlässt auch keine Gelegenheit, in jeder dieser Situationen eigentlich nach dem Ringe zu rennen, und wenn mir der Ausdruck erlaubt ist, das *Prinzliche* dabei zu charakterisieren. Niemand wird unverschämt gnug sein, deshalb das Stück eine Satyre auf die Prinzen zu nennen: denn nur *dieser* Prinz, ein Italiänischer, junger, eben zu vermählender Prinz ists, der sich diese Späße giebt und bei Marinelli andre zulässt. Auch ist sein Stand, seine Würde, selbst sein persönlicher Charakter in Allem zart gehalten, und mit wahrer Freundlichkeit geschonet. Am Ende des Stücks aber, wenn der Prinz sein verächtliches Werkzeug selbst verachtend von sich weiset, und dabei ausruft: ›Gott! Gott! ist es zum Unglücke so mancher nicht genug, dass Fürsten Menschen sind; müssen sich auch noch Teufel in ihren Freund verstellen?‹ und die unschuldige Braut dabei im Blut liegt, der Vater, ihr Mörder, sich eben vor diesen Fürsten, als vor seinen Richter stellt, Marinelli, der

Unterhändler dieses Gewerbes, sich noch bedenkt, den Dolch aufzuheben; wer ist, dem, wenn in solcher Situation der Vorhang sinkt, nicht noch andre Gedanken, außer dem, den der Prinz sagt, in die 55 Seele strömen? Notwendig fragt man sich, wie wird das Gericht über den alten Odoardo ablaufen? wie lange wird Marinelli entfernt sein? d. i. wie bald wird er, wenn sein Dienst abermals brauchbar ist, wiederkehren? u. f.

Es ist vielleicht das höchste Verdienst der Poesie, insonderheit des 60 Drama, Stände und Charaktere aller Art (wenn mir das niedrige Gleichnis erlaubt ist) an dem feinsten Spieß, aufs langsamste am Feuer eigner Torheiten, Neigungen und Leidenschaften umzuwenden. In der Seele des Zuschauers werden diese Stände und Charaktere dadurch *gar*, oder, mit einem edleren Ausdruck, *geründet*. Man 65 siehet, was an der Figur Ernst oder Scherz, Wort oder Tat ist; man blickt auf den Grund hinunter, und greift das Beständige oder Unstatthafte ihres Charakters, ihre Versatilität und innere Ehrlichkeit gleichsam mit Händen.

Die alte Tragödie ging darauf hinaus, durch Darstellung unerwar- 70 tet-schrecklicher Königsunfälle und Katastrophen die Urteile der Menschen zu berichtigen, ihre Grundsätze zu sichern, und das poco piu und poco meno[3] der Leidenschaften, der Furcht und des Mitleids, dem Zuschauer auf ächter Waage vorzuwägen. Die neuere Tragödie, wenn sie gleich ihren Boden nicht so scharf spannen und ihre 75 Keule so rasch schwingen kann, als die alte, hat dennoch mit ihr Einerlei Endzweck. Sie spricht zum innersten Gefühl, zur treuesten Ehrlichkeit des Menschen; die Übeltat kann sie auch jenseit der Gesetze verfolgen, so wie das Lustspiel die Torheit auch jenseit der Gesetze straft. Beide sind Sprecherinnen vor dem erhabensten 80 Richterstuhl unsres Geschlechts, vor der *Humanität* selbst, und ventilieren, bescheinigen und gegenbescheinigen vor ihr auf die schärfste, freieste Weise. […]

Man rückt Lessingen vor, dass er die zarteste Weiblichkeit, das über allen Ausdruck Reizende je ne scais quoi des schönen Ge- 85 schlechts nicht gekannt, und solches eben so wohl in der Emilie als der Minna, der Recha als der Orsina verfehlt habe. Sie sind, sagt man, bei ihm Kinder oder Männer, Helden oder schwache Geschöpfe. – – Ich kann über diesen Punkt nicht entscheiden. Sollte es aber keinen Unterschied geben, wie ein weiblicher Charakter im

3 »etwas mehr und etwas weniger«

Roman und auf der Bühne erscheinen darf? Das neuere Theater ist bei allen Völkern Europas, vorzüglich Spaniern und Franzosen, aus romanhaften Erzählungen und Sitten entstanden; sollte es diese nicht ablegen dürfen? ja sollte es sie endlich nicht ablegen müssen, da diese fremde Schminke aus der wirklichen Welt Teils schon verbannet ist, Teils in Manchem offenbar ihrer Verbannung zueilet? Das Theater der Alten kannte diese romantische Schminke nicht, und doch waren ihre Weiber Weiber.

Wie dem auch sei, in diesem Stück getraute ich mir den Charakter der Emilie, Orsina, geschweige der Claudia völlig verteidigen zu können; ja es bedarf dieser Verteidigung nicht, da sich hier Alles in der Sphäre eines Prinzen, um seine Person, um seine Liebe, Treue und Affektion drehet. Wer kennt die Übermacht dieses Standes beim schönen Geschlechte nicht? und wer darf es der Emilie in *diesen* Augenblicken einer solchen Situation verargen, wenn sie den Dolch ihres Vaters einer künftigen Gefahr vorziehet? Das flatternde Vögelchen, (verzeihen Sie das Naturhistorische Gleichnis) fürchtet nicht etwa nur den anziehenden Hauch der nahen großen glänzenden Schlange; es fühlet denselben schon, sieht ihren auf sie gerichteten Blick – oder ohne Gleichnis, sie glaubt sich schon umschlungen von tausend feinen Netzen liebenswürdiger Eigenschaften, weiß, wie der Prinz ihre Empfindungen der Religion selbst vorm Altar störte, und wagt wie eine Heilige den Sprung in die Flut. Wie Verstandvoll hat Lessing das Herz der Emilie mit Religion verwebet, um auch hier die Stärke und Schwäche einer solchen Stütze zu zeigen! Wie überlegt lässt er den Prinzen sie am heiligen Ort aufsuchen, sie in der Kapelle vor aller Welt anreden, und stellt die schwache Mutter, den strengen grollhaften Fürstenfeind, Odoardo neben sie. Ihr Tod ist lehrreichschrecklich, ohne aber dass dadurch die Handlung des Vaters zum absoluten Muster der Besonnenheit werde. Nichts weniger! Der Alte hat eben so wohl, als das erschrockene Mädchen in der betäubenden Hofluft den Kopf verloren; und eben diese Verwirrung, die Gefahr solcher Charaktere in solcher Nähe wollte der Dichter schildern.

So erlaube ich auch der Orsina, (die notwendig mit Mäßigung gespielt werden muss) ihre Verhöhnung des Marinelli, selbst ihre höllische Phantasie im siebenten Auftritte des vierten Akts. Wenn *sie* nicht den Mund öffnet, wer soll ihn öffnen? Und *sie* darfs, die gewesene Gebieterin eines Prinzen, die in seiner Sphäre an Willkür

130 gewöhnt ist. Als eine Beleidigte, Verachtete muss sie anjetzt übertreiben, und bleibt in der größesten Tollheit die redende Vernunft selbst, ein Meisterwerk der Erfindung.

So auch das Übereilen des Plans, das Hineintappen des Prinzen, und vor Allem, seine unbescholtene Rechtfertigkeit, Alles veran-
135 lasst, gebilligt und am Ende doch, nachdem der Plan verunglückt, nichts befohlen, nichts getan zu haben. In wenigen Tagen, fürchte ich, hat er sich selbst ganz rein gefunden, und in der Beichte ward er gewiss absolvieret. Bei der Vermählung mit der Fürstin von Massa war Marinelli zugegen, vertrat als Kammerherr vielleicht gar des
140 Prinzen Stelle, sie abzuholen. Appiani dagegen ist tot; Odoardo hat sich in seiner Emilie siebenfach das Herz durchbohret, so dass es keines Bluturteiles weiter bedarf. Schrecklich!«

Johann Gottfried Herder: Briefe zu Beförderung der Humanität. In: J. G. H.: Sämtliche Werke. Hrsg. von Bernhard Suphan. Bd. 17. Hildesheim: Olms, 1967. (Reprogr. Nachdr. der Ausg. Berlin 1881.) S. 182–186.

5. Historische Kontexte

Ausgangspunkt für Lessings Trauerspiel ist der Virginia-Stoff, in dem es im römischen Staat zu einer politischen Krise kommt, als der Dezemvir Appius die Unabhängigkeit der richterlichen Gewalt aufhebt und die Gesetze, die er selbst erlassen hat, manipuliert und unterläuft. Diesen Übergang vom geregelten Staatswesen zum Despotismus zeichnet Lessing in seinem Drama nach; er zeigt einen Prinzen, der sich als Staatsoberhaupt demontiert, indem er am Ende Täter und Richter zugleich ist.

Hettore Gonzaga, Gesetzgeber und oberster Richter in einem italienischen Kleinstaat, kann nur so lange das legitime Oberhaupt seines Landes sein, wie er sich selbst den Gesetzen unterwirft und seine Beamten sie unbestechlich anwenden. Sein Hof, an dem alles auf ihn zugeschnitten ist, kennt keinen geschützten Bereich, keine Privatheit, der Prinz ist den ständigen unterwürfigen und unehrlichen Werbungsversuchen seiner Untergebenen, insbesondere des niederen Adels, ausgesetzt und steht unter dauernder Beobachtung. Sein ausschweifendes, zügelloses Leben, das sich in verschwenderischem Prunk, teuren Festen und auch im Mätressenwesen zeigt, dient der Repräsentation und als Zeichen seiner Macht. Insbesondere das Bürgertum versucht sich demgegenüber durch Fleiß, Sparsamkeit und Keuschheit von diesem Verhalten abzusetzen und schaut genau darauf, ob der Prinz seine Machtfülle missbraucht.

Oberster Tugendwächter in der bürgerlichen Familie ist der Vater. Ihm als Familienoberhaupt steht es zu, die Frau und die Kinder moralisch zu führen und über ihr Schicksal zu bestimmen. Dabei kommt es insbesondere zwischen Töchtern und ihren Vätern zu Konflikten.

5.1 Höfische Gesellschaft

Roland Asch: Hof (1995)

Q

»Der Herrscherhof der frühen Neuzeit ist in seinem Kern die Haushaltung des Fürsten, erweitert um jene Personen, die etwa anläßlich bestimmter Ereignisse (z. B. höfischer Feste) oder aufgrund besonderer Privilegien Zugang zur Residenz des Monarchen hatten. Der

5 Hof ist zugleich ein kulturelles Milieu, das informelle Zentrum politischer Entscheidungen, ein großer Patronagemarkt[4] und vor allem der Ort der Begegnung zwischen Herrscher und politisch-sozialer Elite, bei alledem jedoch weniger eine Institution als ein lockerer Verband von Personen.

10 Der Hof des 17. und 18. Jh.s ist oft als Instrument der Domestikation[5] des Adels, namentlich des hohen Adels, dargestellt worden, weil dieser dort zu einem Leben der Untätigkeit verdammt war und sich – von der Basis seiner politischen Macht in der Provinz abgeschnitten – auf faktisch bedeutungslose zeremonielle Rangstreitig-15 keiten konzentrierte. Dies ist jedoch eher eine Karikatur als die Realität. Gerade in der ›absoluten‹ Monarchie des 17. und 18. Jh.s war der unmittelbare Zugang zum Herrscher von ganz besonderer Bedeutung, und hierfür boten sich den Angehörigen des Hofes in der Regel bessere Chancen als den Inhabern hoher Verwaltungsämter 20 außerhalb des Hofes. Ein gewisser Gegensatz zwischen Hof und Zentralbehörden ist ohnehin unübersehbar: auf der einen Seite eine zunehmend bürokratisierte Verwaltung, die schriftlich fixierten rechtlichen Prinzipien folgte, auf der anderen Seite der Hof, wo das informelle Kräftespiel der Adelsfraktionen, persönliche Bezie-25 hungen und Klientelverhältnisse[6] ausschlaggebend blieben. Unter diesen Bedingungen wurde der Hof oft auch Gegenstand einer intensiven Kritik, die freilich eine lange, bis ins Mittelalter zurückreichende Tradition besaß. […] In Deutschland blieb im übrigen die Landschaft der fürstlichen Höfe durch eine große Vielfalt gekenn-30 zeichnet: der Kaiserhof in Wien, Mittelpunkt zugleich für den Adel der Habsburgermonarchie und der ›kaisernahen‹ Gebiete des Reiches, die im Verhältnis zur Größe der Territorien oft überproportional großen Höfe der mittleren und kleineren Fürstentümer und schließlich Preußen, das auf eine konventionelle Hofhaltung unter 35 Friedrich Wilhelm I. und Friedrich II. weitgehend verzichtete. Hier ersetzte die Armee größtenteils den Hof als innenpolitisches Integrationsinstrument und stellte auch die Grundlage für das Prestige[7] in der internationalen Staatenwelt dar, das sich weniger mächtige

4 gezielte Förderung von Menschen durch Personen mit entsprechenden wirtschaftlichen oder politischen Möglichkeiten; Markt: Handelsort

5 hier: Veränderung der Gewohnheiten, Bindung an neue Regeln

6 Abhängigkeitsverhältnisse

7 das Ansehen

Herrscher durch eine Nachahmung von Versailles und Wien mühsam zu erkämpfen suchten.« 40

Roland Asch: Hof. In: Lexikon der Aufklärung. Deutschland und Europa. Hrsg. von Werner Schneiders. München: Beck, 2001. S. 180 f. – © 2001 Verlag C. H. Beck oHG, München.

Barbara Stollberg-Rilinger: Hofkritik und bürgerliches Selbstbild (2000)

Q

»Im Römisch-Deutschen Reich waren die Reichsfürsten insofern […] besonders herausgehoben, als es ihnen gelungen war, in ihren Territorien die Landeshoheit und damit eine nahezu souveräne Stellung zu erringen und die Niederadligen in ihre Untertanenverbände einzugliedern. 5

Die bedeutendsten Orte standesgemäßen adligen Lebens waren im 17. und 18. Jahrhundert die Höfe, ursprünglich die erweiterten Haushalte der Monarchen und Fürsten, inzwischen Zentren der staatlichen Regierung und Verwaltung, der aristokratischen Kultur und monarchischen Selbstdarstellung. Aus verschiedenen Gründen 10 war es für den Adel immer attraktiver geworden, sich zeitweise oder dauernd in der Residenz des eigenen oder eines fremden Monarchen aufzuhalten. Dort wurden nicht nur Ämter und Pensionen vergeben, Titel und Würden zugeteilt, dort war man nicht nur der Macht am nächsten und konnte den größten Einfluss gewinnen, 15 sondern dort entfaltete auch das adlige Leben seinen strahlendsten Glanz, dort musste man anwesend sein, wenn man im vollen Sinne dazugehören wollte. Große und kleine Fürsten wetteiferten in ganz Europa miteinander um die großartigsten Schlossbauten, die aufwendigsten Feste, die glänzendsten Künstler und die berühmtesten 20 Wissenschaftler. Künste und Luxushandwerke entfalteten sich durch das großzügige Mäzenatentum[8] der Höfe zu äußerster Blüte. Auch Dichter und Musiker standen im Dienst der Fürsten und versorgten die höfische Gesellschaft zu allen Anlässen mit den passenden Reden und Gedichten, Schauspielen und Opern. […] 25

Das höfische Leben erlaubte keine Privatheit; der Monarch, seine Familie und seine ganze Umgebung standen ständig unter dem Zwang, den eigenen Status angemessen zu repräsentieren – voreinander, vor den anderen Höfen und vor den Untertanen. Die strenge

8 Förderer (besonders finanziell)

Zeremonialisierung des Alltags, der permanente[9] Müßiggang, die stetige Konkurrenz der Höflinge um den größten Einfluss auf den Monarchen, all das beförderte ein Klima der Intrige, der Verstellung und der Heuchelei – so sahen es jedenfalls die Hofkritiker, und zwar nicht erst im 18. Jahrhundert. Dem Ideal des Höflings, der seine Gefühle klug zu verbergen weiß und dem die Kunst der Verstellung zur anmutigen zweiten Natur geworden ist, wurde das Ideal des zurückgezogenen, selbstgenügsamen und aufrichtigen Landedelmanns schon seit der Renaissance entgegengehalten. Im 18. Jahrhundert allerdings machten sich manche Monarchen solche Kritik selbst zu eigen; Friedrich der Große und Joseph II. sind die berühmtesten Beispiele. An ihren Höfen wurde der repräsentative Aufwand reduziert und der zeremonielle Zwang gelockert. Wertmaßstäbe machten sich geltend, die gemeinhin als bürgerlich gelten.

Aus der Sicht der Kritiker erschien das Hofleben sowohl wirtschaftlich als auch moralisch verwerflich. Müßiggang und demonstrative Verschwendung, erotische Libertinage[10], getrennte Sphären der Eheleute, Kinderaufzucht durch Bedienstete, verfeinerte und zeremoniell stilisierte Formen des Umgangs, ja schon das äußere Erscheinungsbild des Höflings, all das wurde nun als un*vernünft*ig und un*natür*lich verworfen. Die Werte, die dem entgegengehalten wurden, hießen Fleiß, Sparsamkeit und Gewissenhaftigkeit des Wirtschaftens, Keuschheit und Intimität des Familienlebens, Aufrichtigkeit und Ernsthaftigkeit des Umgangs, Bescheidenheit und Schlichtheit des äußeren Auftretens. Die Repräsentationskultur des Hofes galt als falscher, bloß äußerlicher Schein, dem man allerdings eine politische Funktion zubilligte – die einfachen Untertanen müssten sinnlich beeindruckt werden, um desto williger zu gehorchen, so hieß es. Im Selbstgefühl ›wahrer‹, ›innerer‹ Tugenden glaubte man hingegen auf solch äußeres ›Blendwerk‹ verzichten zu können. Die Kritik am höfischen Lebensstil diente den Bürgern zur moralischen Aufwertung ihrer eigenen Lebensweise, die ganz andere Tugenden erforderte.«

Barbara Stollberg-Rilinger: Die Aufklärung. Europa im 18. Jahrhundert. Stuttgart: Reclam, 42017 [u. ö.]. S. 81–85.

9 ständige
10 Freizügigkeit, Zügellosigkeit

Leo Balet und E. Gerhard: Klassenmoral (1973)

Q

»Weshalb kam bei Odoardo überhaupt nicht der Gedanke auf, in gerechter Notwehr den Tyrannen zu erdolchen, statt seine eigene Tochter umzubringen, um sie vor der Schändung durch diesen Unmenschen zu bewahren? Weil der brave Bürger sogar einen fürstlichen Schuft für etwas Heiliges hielt, an dem er sich um keinen Preis versündigen durfte. Der Fürst war doch ›das lebende Abbild der Gottheit auf Erden‹, wie sogar Friedrich II. in seiner ›Réfutation du prince de Macchiavel‹ sich selbst nannte. So konnten es die Herrscher wagen, ihre Verbrechen auf die Spitze zu treiben, weil sie sicher waren, daß dieselbe Moral, mit der sie Schindluder trieben, sie vor jeder Gefahr, jeder Vergeltung und Rache von seiten ihrer christlichen Untertanen schützte. [...] Solange der Bürger die kirchliche Moral für absolut bindend hielt, hatten die Fürsten für sich und ihr Gewaltsystem nichts zu befürchten.

Die einzige Waffe, die dem Bürger in der Zeit seiner kirchlichen Befangenheit blieb, um gegen die Fürsten zu operieren, bestand darin, die Moral selbst gegen die Fürsten auszuspielen, m. a. W.[11] die Immoralität der Fürsten und Höfe anzuprangern.

Die politischen Verhältnisse waren aber bis ungefähr um die Mitte des 18. Jahrhunderts dergestalt, daß der Bürger einen direkten Angriff auf seine Herren niemals hätte riskieren können. Nur indirekt konnte er angreifen. Was er auch tat. Statt die Immoralität der Fürsten zu plakatieren[12], exponierte[13] er sein eigenes hoch moralisches Leben, und damit nicht genug, seine Sehnsucht nach einer noch weiteren Steigerung dieser bereits (allerdings nur theoretisch) überspitzten Moralität.«

Leo Balet / E. Gerhard: Die Verbürgerlichung der deutschen Kunst, Literatur und Musik im 18. Jahrhundert. Frankfurt a. M. / Berlin / Wien: Ullstein, 1973. S. 109 f. –

11 mit anderen Worten
12 öffentlich anzuzeigen
13 stellte heraus

Leo Balet und E. Gerhard: Maitressenwesen am Hof (1973)

Q

»Das *Maitressenwesen* florierte an fast allen deutschen Höfen. Es war offiziell sanktioniert. Biedermann berichtet uns z. B., daß die Juristenfakultät der Universität Halle zu Anfang des 18. Jahrhunderts ein Rechtsgutachten dahin abgab, daß Fürsten und Herren den gewöhnlichen, für Private geltenden Gesetzen nicht unterworfen, sondern lediglich Gott für ihre Handlungen Verantwortung schuldig seien, ›dass daher auch ein ungeregeltes Liebesverhältnis mit einem Grossen für eine Person nichts Entehrendes enthalte, dass vielmehr auf eine solche Etwas von dem splendeur ihres amanten[14] übergehe.‹

Herzog Eberhard III. von Württemberg (1628–1674) war mit drei seiner Maitressen zugleich offiziell vermählt. Er machte es zu einem Sport, seine dreizehn Welpen[15] untereinander zu kopulieren[16]. Eberhard Ludwig von Württemberg (1677–1733) war mit seiner Frau und der Gräfenitz zugleich verheiratet. Am schamlosesten trieb es Friedrich August von Sachsen. Eine von seinen unzähligen Maitressen, die Gräfin Orselska, war seine eigene Tochter, die ihm von einer Schenkwirtin in Warschau geboren wurde. Die Orselska schenkte ihrem Vater und Geliebten noch während seines Lebens ein Kind von dem Grafen Rutowsky, der ebenfalls ein uneheliches Kind von Friedrich August war.

Das Maitressenwesen hatte allmählich so überhand genommen, daß sich sogar der fromme, bibelfeste und sparsame Friedrich Wilhelm I. von Preußen verpflichtet fühlte, eine Maitresse zu halten, ohne für die ihr gezahlte Apanage[17] eine Gegenleistung zu verlangen. Diese Gräfin von Kolbe-Wartenberg geb. Rückert, eine Schankwirtstochter aus Cleve, war zuerst an einen Kammerdiener verheiratet und Maitresse von Kolbe gewesen, hatte dann nach dem Tode ihres Mannes von Kolbe geheiratet, der bald zum Schloßhauptmann, Oberstallmeister und ersten Kammerherrn des Königs avancierte[18]. Mit ihrem königlichen Geliebten lustwandelte diese ›maitresse en titre‹ täglich ein Stündchen, mit anderen, z. B. dem englischen Botschafter und August dem Starken trieb sie andere

14 Pracht ihres Geliebten
15 hier: Kinder
16 hier: geschlechtlich zu verbinden
17 finanzielle Aufwendung
18 aufstieg

Scherze. Karl Eugen von Württemberg hielt sich einen ganzen Harem von italienischen und französischen Mädchen, zu denen sich häufig die verschleppten Töchter seiner Untertanen gesellten. Wenn eins seiner Landeskinder schwanger wurde, schickte der Herzog es nach Hause mit der ›fürstlichen‹ Entschädigung von 50 Gulden ›ein für allemal.‹«

Ebd. S. 46 f.

Brief der Herzogin von Orleans vom 2. Februar 1720

Q

»Der Prinz de Conti wird alle Tage toller und närrischer. In einem von den letzten Bällen hier im Opernsaale nahm er mit Gewalt ein arm Mädgen, so aus der Provinz kommen war, ganz jung, reißt es mit Gewalt von ihrer Mutter weg, setzt es zwischen seine Beine, hält sie mit einem Arm, gibt ihr 100 Nasenstieber und Maulschellen, dass ihr Mund und Nase bluteten. Das arme Mädchen weinte bitterlich, er aber lachte auf und rief: Ne sais-je pas bien donner des chiquenaudes?[19] Es hat alle Menschen gejammert so es gesehen. Das Mensch hat ihm in seinem Leben nichts zuleide getan, er kannte sie nicht. Man hat dem armen Mädgen nicht helfen wollen, denn niemand mag mit dem Narren zu tun haben. Den 2. Febr. 1720.«

Eduard Fuchs: Illustrierte Sittengeschichte vom Mittelalter bis zur Gegenwart. Bd. 2: Die galante Zeit. Berlin: Guhl, [1983]. (Nachdr. der Ausg. München 1910.) S. 59.

5.2 Familie

Ingeborg Weber-Kellermann: Familiäre Strukturen (1989)

Q

»In einem langandauernden Prozeß formte sich das Leitbild der *christlichen Familie* unter der rechtsverantwortlichen Führung des *Hausvaters*. Als Produkt bürgerlichen und bäuerlichen Wirtschaftsdenkens entstand die Haushaltsfamilie als dominierende familiäre Sozialform des späten Mittelalters und der frühen Neuzeit.

Damit ist eine familiale Gruppe gemeint, die auf einem Bauernhof, im Handwerker- oder Kaufmannshaus zusammenlebte und

19 »Verstehe ich es nicht gut, mit den Fingern zu schnipsen?«

gemeinsame Produktionsmittel bewirtschaftete; sie mußte nicht ausschließlich Blutsverwandte umfassen und auch nicht eine Organisation mehrerer Generationsschichten sein. Die Haushaltsfamilie war vielmehr ein Hausverband von Eltern, Voreltern und Kindern als Lebens- und Wirtschaftsgemeinschaft, dem auch nicht blutsverwandte Mägde, Knechte, Dienstboten, Gesellen usw. angehören konnten und den der Hausvater in der Gemeinde als Rechtsperson vertrat.

Diese Form der Haushaltsfamilie, die für die ländliche und die städtische Bevölkerung bis ins frühe 19. Jahrhundert bestimmend war, umfaßte *das ganze Haus*, den *oikos*. [...]

Der *Hausvater* übte die rechtliche, wirtschaftliche und erzieherische Gewalt über den gesamten *Hausstand* aus und trug die Verantwortung für dessen Mitglieder. Damit entwickelte sich ein patriarchalisches autoritäres Struktursystem, das im Herrschaftsmodell des *Landesvaters* sein Vorbild hatte. Der Königs- oder Fürstenhof kann als erweiterte Haushaltung des Königs verstanden werden [...], der über seine Hofgesellschaft die Rechte eines Hausvaters mit entsprechender Hausgewalt ausübte. Im Unterschied zum mittelalterlichen Ständestaat gewannen später König oder Fürst das Übergewicht über die Stände und entwickelten zur Stabilisierung dieser Machtstrukturen entsprechende kulturelle Figurationsgefüge [...]. Die gesellschaftliche Ordnung war also in der frühen Neuzeit ständisch-hierarchisch und patrimonial[20] gegliedert. ›Kaiser, König, Edelmann – Bürger, Bauer, Bettelmann!‹, wobei nur die oberen Gruppen streng geschieden waren, sich aber im *dritten Stand*, dem quantitativ größten, verschiedene Gruppierungen in wechselnder Intensität zusammenfanden. Sein Anwachsen bedeutete zugleich seine Verarmung. Die feudale Gesellschaftsordnung verhinderte eine freie wirtschaftliche Entfaltung und erzwang statt dessen eine Stabilisierung ihrer alten Rechte. Die Französische Revolution führte das Zerbrechen der alten Gliederung herbei, das Heraufkommen des *Bürgers* mit dem sozialen Ideal einer natürlichen Ordnung und demokratischen Verfassung; der Boden für neue soziale Bewegungen war bereitet.

Der Typ der *Haushaltsfamilie* setzt [...] weder quantitativen Umfang noch qualitativen Reichtum an Produktionsmitteln voraus. Auch der Kleinbürger mit seinem Kramladen, der Flickschuster,

20 nach Abstammung vom Vater

der Weber mit Garten oder Feld ist darunter zu subsumieren[21], sofern er mit seiner Familie und eventuellen Hilfskräften eine gemeinsam wirtschaftende Einheit, eben *das Haus* bildete. Bezeichnend ist vielmehr für diese Epoche, daß die Hausmitglieder nur mittelbar mit den Institutionen der Gesellschaft verbunden waren, *unmündig* gewissermaßen, vertreten durch den Hausvater als Rechtsperson.« 50

Ingeborg Weber-Kellermann: Die Kindheit. Kleidung und Wohnen, Arbeit und Spiel. Eine Kulturgeschichte. Frankfurt a. M.: Insel, 1989. S. 16–18 [Auszüge]. –

Johann Georg Krünitz: Hausvater (1781)

Q

»Hausvater, […] Haupt der häuslichen Gesellschaft, in Beziehung auf seine Kinder, so wie er in Betrachtung des Gesindes Hausherr genannt wird. […] Die Gewalt des Hausvaters über seine Kinder, gründet sich teils auf die Zeugung, weil derjenige, welcher eine Sache hervor bringt, nach allen gesunden Begriffen den stärksten 5 und natürlichsten Titel der Gewalt und des Eigentums über dieselbe hat; teils auf den Schutz, und die Ernährung, welche die Ältern ihren Kindern angedeihen lassen. Denn die Vernunft sagt einem Jeden, wer des Andern Schutz und Ernährung nötig hat, dass er von ihm abhängig sein müsse. Mithin sind die Pflichten der Kinder, die 10 Gewalt ihrer Ältern zu erkennen, die allerstärksten und unzweifelhaftesten, welche die Natur dem Menschen auflegt. Eben so ungezweifelt ist auch die Gewalt des Hausvaters über seine Frau gegründet. Wenn es der Natur der Sache gemäß ist, dass der Schwächere von dem Stärkern, der Beschützte von dem Beschützer, der Ernähr- 15 te von dem Ernährer abhängen muss: so folgt auch, dass die Frau der häuslichen Gewalt des Mannes unterworfen sein muss. Das weibliche Geschlecht ist unstreitig das schwächere, wenn man die Sache allgemein betrachtet, ob gleich viele einzelne Weibspersonen stärker, als ihre Männer, sein können. […] 20

Der Natur der Sache nach muss aber zuvörderst ein jeder Hausvater hinlängliche[22] Gewalt haben, sein Weib und Kinder zum Fleiß,

21 darunterzurechnen
22 ausreichende

zur Ordnung, und zur Sparsamkeit, anzuhalten. Dieses sind die drei Haupteigenschaften eines wohl eingerichteten Hauswesens, und ohne dieselben muss der allerfleißigste Hauswirt zu Grunde gehen. [...] Hiernächst muss der Hausvater vollkommen Gewalt haben, Tugend und gute Sitten in seinem Hause zu pflanzen und zu erhalten. Es liegt dem Staate an der Güte der Sitten überaus viel, weil das Verderben der Sitten das Verderben des Staates selbst ausmacht. Dieses ist die innere Fäulnis, und der Grund des Verderbens, welcher fast alle europäische Staaten angesteckt hat; und die ermangelnde hinlängliche Gewalt des Hausvaters ist die Hauptursache dieses Verderbens. Denn wenn der Hausvater hierin nicht hinlängliche Gewalt hat, so ist es gar nicht möglich die Gute der Sitten aufrecht zu erhalten. Vielleicht mangelt es den Hausvätern hierin nicht an Gewalt über ihre Kinder; es fehlt ihnen aber an hinlänglicher Gewalt über ihre Weiber; und das Beispiel der verderbten Sitten der Weiber hat nur allzu viel Einfluss auf die Sitten der Töchter. [...] Ferner muss der Hausvater auch die Gewalt haben, die Kinder zu ihrer künftigen Glückseligkeit zu leiten; und man sieht leicht, wie sehr es dem gemeinschaftlichen Besten zuträglich ist, dass die Gewalt des Hausvaters hierin nicht eingeschränket werde. Denn die Kinder haben weder den Verstand und die Einsicht, dass sie sich zu ihrer künftigen Glückseligkeit selbst leiten können, noch wissen sie die Leidenschaften, welche sie auf Abwege und Ausschweifungen führen, und ihre ganze Lebenszeit unglücklich machen können, zu beherrschen. Solchemnach muss es dem Hausvater überlassen sein, die künftige Lebensart und Hantierung seiner Kinder zu erwählen, und ihnen eine denselben gemäße Erziehung zu geben. Hauptsächlich aber muss die Verheuratung[23] der Kinder auf das Gutachten des Vaters ankommen, sowohl weil dieses der wichtigste Punkt der künftigen Glückseligkeit der Kinder ist, als auch weil die Güte der Sitten sehr darauf beruht, indem die Verführung und das Verderben der Sitten allemal größer sein werden, wenn die Kinder sich nach eigener Wahl verheuraten können.«

Johann Georg Krünitz: Oeconomische Encyclopädie, oder allgemeines System der Staats- Stadt- Haus- und Landwirtschaft, in alphabetischer Ordnung. 22 Tl.: Von Hang bis Hel. Berlin: Pauli, 1781. S. 411–419.

23 Verheiratung

Sophie von La Roche (1731–1807): Mädchenjahre und Bildung

Q

»Mein Vater war ein sehr gelehrter, aber sehr harter Mann; meine Mutter eine gefühlvolle, sanfte Frau. Er ermunterte meinen Kopf zum Wissen, sie mein Herz zur Güte. Er leitete mich zur Natur- und Völkergeschichte, sie sorgte für Haushaltungskenntnis und gute Anwendung der Stunden in Französisch, Musik, Zeichnen und Malen in Wasserfarbe, auch in der Stickerei und andren. So wuchs ich bis in das 16. Jahr, da der Zufall den Herrn Bianconi, Leibarzt des Fürsten von Augsburg, der als Sächsischer Resident in Rom starb, in unser Haus führte und ihn den Plan entwerfen machte, mich zu seiner Gattin auszubilden und jede Fähigkeit meines Geistes anzubauen. Rohaults Mathematik, dann seine eigene Philosophie, alle Poeten seines Vaterlands, schöne Künste, Liebe zu eingezogenem Leben mit Büchern war, was der edle Mann in drei Jahren mir mitteilte und, ich darf sagen, eigen machte. Natürlich nährte er auch die Anhänglichkeit an ihn. Mein Vater, der sehr zufrieden mit dieser Heirat war, reiste mit ihm nach Bologna, aber versagte mich ihm, da alle Kinder katholisch sein sollten. Bianconi wollte mich entführen; ich wollte nicht ohne den väterlichen Segen aus dem Haus, und da wurde das Schicksal meines Geists entschieden. Bianconi war nach Dresden; mein Vater sah mich traurig und wollte das Andenken an diesen Mann auslöschen. Ich musste also Briefe, Bücher, Schriften, alles, was ich hatte, bringen und sehen, wie mein Vater alles zerriss und verbrannte. Als er meine mathematischen Übungen angriff, fiel ich auf meine Knie und bat ihn, mir nur die Früchte meines Fleißes zu lassen; er tat es nicht und zerriss und verbrannte auch diese. Meine Seele wurde empört. Ich hatte dem kindlichen Gehorsam meine Liebe geopfert und hielt mich misshandelt. Ich wollte katholisch und eine Nonne werden. Der Bischof, an den ich schrieb, sagte es dem großen Bruder, dieser machte Vorstellungen in meiner Familie, und man erkannte, dass die Maßregeln unrecht waren. Bianconi war mir noch einer der beste, liebste und verehrungswürdigste Sterbliche. Ich konnte nichts mehr für ihn tun, aber ich tat ein Gelübd, dass nie kein Mann mehr mich Singen, Klavierspielen oder Italienisch reden hören sollte, dass jede Kenntnis, die er mir in Berechnung des Glücks seines Lebens gegeben, in meiner Seele verschlossen bleiben sollte. Ich hätte ihm alle Liebe geopfert; nun weihte ich seinem Andenken das Opfer jedes Lobes, das ich durch diese Talente erhalten konnte, die ich in hohem Grad besaß. Sie se-

hen, dass ein einziger Zug Leidenschaft den schönen Gang edler,
40 gründlicher Kenntnis in mir unterbrach. […] Bianconi hatte mit einer mir unbekannten Kunst die Saiten meiner Seele für Wissenschaft und Liebe in ewigem Einklang gehalten und muss sie mit einer Meisterhand gestimmt haben, denn sie schlagen immer noch mit gleicher Stärke an und haben immer in dem größtem Kummer
45 meines Lebens, in Stürmen des Unglücks selbst, die Schmerzen der Seele gelindert und mir Ruhe geschenkt. Segen sei seiner Asche dafür. Ihm danke ich, dass ich von jeder Wissenschaft den Wert und Umfang zu schätzen weiß und jede innig liebe. Ihm danke ich das lebendige Gefühl für alles Edle und Schöne und die Wärme, mit
50 welcher mein Herz das Verdienst ehrt und liebt; der Ton Zärtlichkeit für Mann, Kinder und Freunde – alles ist von ihm.«

Sophie von La Roche: Ich bin mehr Herz als Kopf. Ein Lebensbild in Briefen. Hrsg. von Michael Maurer. München: Beck, 1983. S. 301 f.

6. Rezeption

Die Diskussion der Frage, warum Emilia Galotti stirbt, bildet gewissermaßen die zentrale Achse in der Rezeption des Trauerspiels bis in die heutige Zeit. Zwar sind Untergang und Tod des Protagonisten konstitutiver Bestandteil des Trauerspiels, aber bei Lessings *Emilia Galotti* lässt sich für den Tod der Titelheldin keine eindeutige, schlüssige Begründung finden. Die Deutungen gehen daher in unterschiedliche Richtungen: Hat Emilia tatsächlich Sympathie für den Prinzen? Fürchtet sie, dem engen bürgerlichen Tugendbegriff nicht gerecht werden zu können? Oder will sie dem Verlust ihrer Unschuld zuvorkommen? Handelt es sich um eine Panikreaktion ihres Vaters, für die sich wiederum verschiedene psychologische Motive anführen ließen? Oder ist ihr Tod letztlich das Ergebnis der fürstlichen Willkür und der daraus resultierenden verhängnisvollen Missverständnisse?

Der Widerstreit zwischen Vernunft und Leidenschaft, den Lessing in seinem Stück nachzeichnet, kann als ein Dilemma der Aufklärung verstanden werden, zeigt sich doch, dass deren Ziel, der vernünftigen Erkenntnis des Richtigen, sich menschliche Wünsche, Gefühle und Neigungen in den Weg stellen können. Auf dieser Grundlage wirken sich in dem Drama ein auf Projektionen des Weiblichen reduzierter Frauen- und – damit verbunden – ein auf die sexuelle Unversehrtheit der Frau reduzierter Tugendbegriff auf die handelnden Figuren aus.

Horst Steinmetz: Warum stirbt Emilia Galotti? (1987)

Q

»Auf die Frage ›Warum stirbt Emilia Galotti?‹ gibt es nicht nur eine und schon gar keine eindeutige Antwort. […]

Letztlich beraubt das Drama als Ganzes aufklärerische Gewißheit ihrer Selbstverständlichkeit und Eindeutigkeit. Und das, obwohl das Werk nichts anderes als die exemplarische Realisierung weltan- 5 schaulicher und dramaturgischer Prinzipien seiner Epoche ist. Aus dieser Konstruktion, die sich gegen sich selbst richtet, erklärt sich die gemischte Rezeption durch die Zeitgenossen, die dieser Tragödie gegenüber bei aller Bewunderung reserviert bleiben. *Emilia Galotti* läßt keine Identifikation zu, wie sie von der Dramaturgie der 10 Zeit und von den vorangehenden bürgerlichen Dramen vorgezeichnet war. Die Identifikation wird eben dadurch verhindert, daß bekannte und bewährte ideologisch-bürgerliche Prinzipien als Ausgangspunkte der Handlung ohne Mühe erkennbar sind, im Laufe der Handlung jedoch entstellt und in ein Licht gerückt werden, das ihre Geltung untergräbt. Lessings Tragödie appelliert[24] daher weniger an das Gefühl als an den Verstand, sie verlangt vom Zuschauer eine rationale Revision[25] seiner emotionalen Erwartungen. Die Tugend siegt; aber ihr Pyrrhus-Sieg[26] bietet kaum die Möglichkeit zur mitleidigen Sympathie, die in sozialem Handeln fruchtbar werden könnte.«

Horst Steinmetz: Emilia Galotti. In: Interpretationen. Lessings Dramen. Stuttgart: Reclam, 1987 [u. ö.]. S. 129 f.

Horst Steinmetz: Missverständnisse, Fehlentscheidungen, Fehlhandlungen (1987)

Q

»Nun läßt sich der Handlungsablauf des Dramas ohne große Mühe als eine einzige große Aufeinanderfolge von Mißverständnissen, Fehlentscheidungen und -handlungen analysieren. Sie gehen miteinander Verbindungen ein, in denen die eine Mißkalkulation[27] die folgende auslöst und alle zusammen ein sich potenzierendes[28] Handlungsgefälle formen, an dessen Endpunkt die Katastrophe steht. Sieht man genau hin, kennt fast jede Szene ihre Fehlentscheidung, handeln fast alle Personen fortwährend unter falschen Annahmen und Konklusionen.[29]

Im ersten Akt ist es vor allem der Prinz, der Fehlkalkulationen entwirft. Als verhängnisvoll wird sich sein Entschluß erweisen, Emilia in der Kirche aufzusuchen; denn dies durchkreuzt nicht nur Marinellis Pläne, sondern wirkt noch im 5. Akt nach; falsch ist es, Orsinas Brief nicht zu beantworten, sie wird deswegen später im entscheidenden Augenblick im Lustschloß erscheinen; falsch ist es, Marinelli freie Hand zu gewähren, um ihn dafür sorgen zu lassen,

24 richtet sich an, fordert heraus
25 Überarbeitung
26 sprichwörtlich für einen Sieg, der so teuer erkauft ist, dass er eigentlich eine Niederlage ist
27 eine falsche Berechnung
28 immer weiter verstärkendes
29 Schlüssen

daß Emilias Hochzeit verschoben wird; falsch ist seine Zustimmung zu Marinellis Vorschlag, Appiani als Hochzeitsgesandten nach Massa zu schicken. – Im zweiten Akt werden die Fehlentscheidungen der höfischen Partei durch die der bürgerlichen Seite ergänzt; beide verästeln sich in den folgenden Akten zu einem mitreißenden Strom, dessen Sog niemand entrinnen kann. Am gravierendsten[30] ist natürlich Emilias Entschluß, Appiani die Begegnung mit dem Prinzen zu verschweigen, darin unterstützt von der Mutter, die auf diese Weise den in ihren Augen unnötigen Unwillen ihres Mannes vermeiden will, zugleich aber auch die Begegnung selbst bagatellisiert.[31] Auch Appianis entschiedene Ablehnung des fürstlichen Auftrags sowie sein brüskes und schroffes Verhalten Marinelli gegenüber – so berechtigt in jedem Sinne – sind mitverantwortlich für den späteren Verlauf des Geschehens.

Die berühmte Exposition der *Emilia Galotti* ist also nicht nur eine Exposition, in der die Ausgangssituation der folgenden Handlung konstituiert[32] wird, sondern es ist darüber hinaus eine Exposition, die aus nichts anderem als einer Addition und Kombination von Fehlkalkulationen, falschen Berechnungen, teilweise wider besseres Wissen übernommenen unrichtigen Entschlüssen und ihr Ziel verfehlenden Taten besteht. Alle diese Fehlhandlungen ergänzen und komplettieren sich, teils unabhängig, teils in direkter Abhängigkeit voneinander, zu einer prospektiven Gesamtkonstellation der Handlung, die den Spielraum aller Beteiligten so festlegt, daß davon unabhängiges Entscheiden und Handeln praktisch unmöglich werden.

Doch enthüllen sich nicht nur die Einzelentscheidungen, die während des sich vollziehenden Bühnenspiels gefällt werden, als verderbliche Trugschlüsse, sondern auch die mehr allgemeinen, auf den ersten Blick positiv erscheinenden Hintergründe, Ausgangspunkte, Überzeugungen, einschließlich der besonderen Charakterdispositionen, offenbaren sich sehr schnell als falsche und untaugliche Handlungsorientierungen oder verkehren sich doch in negative Impulse. So ist zum Beispiel die charakterliche, mentale, ja humane Qualität, die der Prinz sich wegen seiner Liebe zu Emilia zuschreibt, weil er nicht mehr ›so leicht, so fröhlich, so ausgelassen‹ sei wie während seiner Beziehung zu Orsina: ›[…] ich bin so besser‹

30 schwerwiegendsten
31 herunterspielt
32 aufgebaut, festgelegt

(I,3), mit ein Grund dafür, daß er seinen Wünschen und Begierden nachgibt. Odoardos kompromißlose Tugendhaltung, deren Berechtigung das Gespräch zwischen Mutter und Tochter vollauf bestätigt, ist dennoch gerade das unüberwindbare Hindernis für ein offenes Gespräch mit ihm. Emilias Folgsamkeit gegenüber ihren Eltern, von diesen als wertvolles Erziehungsideal verwirklicht, trägt dazu bei, Appiani über den Vorfall in der Kirche nicht aufzuklären. Appianis Geradlinigkeit und Rechtschaffenheit, die so positiv gegen Marinellis Verschlagenheit absticht, vergrößert des Höflings Streben, die Hochzeit zu verhindern, und provoziert ihn überdies zu persönlichen Racheplänen. Man kann selbst fragen, ob nicht sogar die Verbindung zwischen Appiani und Emilia eher dem Wunsche und dem Wollen des Vaters entstammt als den Wünschen der Verlobten. Als idealer zukünftiger Ehemann stellt sich der Graf im Gespräch mit Emilia jedenfalls nicht dar. Und ohne die Hochzeit hätte auch das übrige Geschehen nicht stattgefunden. [...]

Im Grunde mißlingen alle Vorhaben und Taten aller Gestalten. Und weil sie mißlingen, werden stets neue Pläne entworfen, deren Ausführung wieder mißlingt. Das Ergebnis ist ein sich verknotendes und sich selbst fortzeugendes Geflecht von Handlungsansätzen und -strängen. Alle inneren und äußeren Bewegungen der Personen enden in der Negation des Gewollten oder zwingen zu wollen und zu tun, was man nicht will. Es entsteht eine Art Gefängnis der Kausalität von Fehlhandlungen, aus dem es keinen Ausweg gibt. Emilias Tod wird auf diese Weise zur fast logischen Folge der Fehlkalkulationen aller, er wird zum Fanal[33] der negativen Gesamtentwicklung, so wie Odoardos Ermordung seiner Tochter die Pervertierung alles dessen darstellt, wofür dieser tugendbesessene Familienvater in seinem Leben eingetreten ist.«

Ebd. S. 101–104.

Monika Fick: Verworrene Perzeptionen (1993)

Q »Emilia darf an die natürliche Güte des Menschen, den positiven Kern der Sinnlichkeit, nicht glauben. Die Erziehung, die Odoardo ihr gibt, ist geleitet von dem Mißtrauen in die menschliche Natur –

33 Zeichen, welches bevorstehende Veränderungen ankündigt

ein Schritt sei genug zu einem ›Fehltritt‹,[34] so seine rigorose Maxime. Auch Emilia verurteilt die Sinnenfreude letztlich als Sünde, wie ihre Reaktion auf die Erfahrungen im Hause des Kanzlers zeigt.[35] Damit aber ist der einzige Weg versperrt, die sinnlichen Antriebe in das Streben nach Tugend zu integrieren, das heißt: die dunklen Empfindungen einer Lust in deutliche Vorstellungen des Guten aufzuklären, das Kontinuum der Seelenkräfte zum Positiven hin zu bestimmen.

In Emilias Innerem herrscht der Zwiespalt. Gespalten ist ihr Bewußtsein nach der Begegnung mit dem Prinzen in der Kirche. Sie fürchtet, sie habe sündigen wollen, und weiß zugleich, der Himmel habe sie nicht sündigen lassen;[36] sie hält an ihrem Willen zur Tugend fest und fühlt sich doch in ihren dunklen Perzeptionen als Mitschuldige des Lasters. Indem ihr das Vertrauen in ihre sinnliche Natur fehlt, bietet ihr das Wissen um ihre Tugend keine Beruhigung; es fehlt ihr der aktive Bezug zu ihrem Wissen um das Gute; sie erkennt es nicht so, daß sie es auch unverbrüchlich zu wollen vermeint, daß sie im Erkennen ihr Sein auslegte und bestimmte. Die Funktion der Erkenntnis nimmt bei ihr allein die Angst vor der Sünde ein. Die Angst selbst ist ein Affekt des Zwiespalts. In ihr, so Spinozas Definition, wolle der Mensch, was er nicht wolle, und wolle nicht, was er wolle.[37] Emilia verschließt sich in dieser ihrer Angst. Und weil dem Erkenntnisvermögen die Basis der sinnlichen Natur geraubt ist, deshalb üben deren Kräfte ihre Macht aus jenseits des Zugriffs der Vernunft. Während ihrer Begegnung mit dem Prinzen befindet sich Emilia in einem Zustand des verminderten Realitätsbezugs. Die Betäubung erzeugt in ihr das Gefühl des Ausgeliefertseins. Statt in der wachen Reaktion auf ihr Gegenüber die Empfindungen, die sie mit ihm verbinden, auf die Stufe der Moralität zu erheben, läßt sie sich beeindrucken von den Vorstellungen des Lasters. So schafft das Erkenntnisvakuum Raum für die unkontrollierte Sinnlichkeit, die Emilia dann in sich selbst als Bedrohung erfährt.

Die Protagonisten, Emilia und ihr Vater, sind Opfer ihrer dualistischen Auffassung des Verhältnisses von Sinnlichkeit und Ver-

34 Akt II,2, S. 22.
35 Akt V,7, S. 85.
36 ›[S]o tief ließ mich die Gnade nicht sinken‹. Akt II,6, S. 28.
37 Benedict de Spinoza, *Ethik*, Teil 3, »Von dem Ursprung und der Natur der Affekte«, Anmerkung zu Lehrsatz 39.

nunft. Die Beherrschung der Leidenschaften, so zeigt es die dramatische Analyse, wird nicht gelingen, wenn nicht zuvor in diesen Leidenschaften das Gute erkannt, wenn nicht ihr mitmenschlicher Inhalt verstanden wurde. Der Widerstreit zwischen sinnlicher und geistiger Natur bedingt nicht die Katastrophe: Daß ein solcher Widerstreit aufbricht, ist die Katastrophe, ist das moralische Versagen selbst. Kritik an Odoardos Tugendideal wird geübt; doch nicht das Ideal ist falsch, sondern der eingeschlagene Weg, es zu erreichen. Die Konsequenz des Bestrebens, die Sinnlichkeit asketisch zu unterdrücken, ist der Selbstmord. In ihm ist jegliche Möglichkeit der Entfaltung auf das Bessere hin, die Lessing innerhalb der Kontinuität der Entwicklung auch noch der lasterhaftesten Vorstellung zugestand, negiert.«

Monika Fick: Verworrene Perzeptionen. Lessings Emilia Galotti. In: Jahrbuch der deutschen Schillergesellschaft 37 (1993) S. 139–163, hier S. 160–162. – Mit Genehmigung von Monika Fick, Aachen.

Inge Stephan: Frauenbild (1985)

Q

»In der *Emilia Galotti* gibt es gleich zu Anfang eine Szene, an der sich das, was ich unter Frauenbild verstehe, sehr gut verdeutlichen läßt. Der Maler Conti bringt dem Prinzen von Guastalla zwei Porträts. Auf dem einen ist die Gräfin Orsina, die ehemalige Geliebte des Prinzen, dargestellt, auf dem anderen Emilia Galotti, die er seit kurzem begehrt. Beide Frauen sind noch gar nicht selbst aufgetreten, sie sind nur in den Bildern und in den Gesprächen präsent, die die beiden Männer über die Bilder führen. Das Porträt der Orsina, das der Prinz ehemals bei dem Maler in Auftrag gegeben hatte, löst bei ihm Unmut und Mißbehagen aus. Er findet nichts von dem, was er in der lebendigen Person einst erblickt hat, in dem Bilde wieder. Das Gesicht der Orsina hat sich für ihn zur ›Grimasse‹ verzerrt, die Würde, das Lächeln und die sanfte Schwermut, die der Maler im Bild festzuhalten versucht hat, stimmen nicht mit dem Bilde überein, das der Prinz sich inzwischen von der verflossenen Geliebten gemacht hat. In diesem Bild dominieren Stolz, Hohn, Spott und trübsinnige Schwärmerei. Das Gesicht wird beherrscht von ›großen, hervorragenden, stieren, starren Medusenaugen‹, die keine Liebe, sondern nur noch Abscheu einflößen können. Wenn der Prinz über die Orsina spricht, scheint er über ein Monster zu sprechen, nicht über die Frau, die er ehemals begehrt hat. Das Bild der Orsina wird ihm zur Projektionsfläche, auf der er seine negativen Affekte ausagiert. Unwillig fordert er den Maler auf, das Bild, das er weder mit der realen Frau noch mit seinem ›Ideal‹ von Frau verbinden kann, wegzustellen und ihm das andere Bild zu zeigen. Hier nun ist die Reaktion des Prinzen eine völlig andere. Während er dem Maler beim Porträt der Orsina Schmeichelei, ja Fälschung vorwirft, kommt ihm das Porträt der Emilia Galotti ›wie aus dem Spiegel gestohlen‹ vor. Die reale Frau und ihr Bild scheinen sich zu decken, mehr noch, reale Frau und Bild verschmelzen mit dem Ideal, das der Prinz im Herzen trägt. Ungläubig fragt er den Maler: ›Was seh' ich? Ihr Werk, Conti? Oder das Werk meiner Phantasie?‹

Das Gespräch zwischen Prinz und Maler mutet an wie das Gespräch zweier Liebhaber. Conti bedauert, daß er nicht direkt mit den Augen hat malen können: ›Auf dem langen Wege, aus dem Auge durch den Arm in den Pinsel, wie viel geht da verloren!‹ Das Auge als Sinnesorgan, über das äußere Reize wahrgenommen und innere Empfindungen ausgedrückt werden, spielt eine besondere Rolle in der ganzen Szene. Aus den Regieanweisungen ›ohne ein Auge von dem Bilde zu wenden‹, ›noch immer die Augen auf das Bild geheftet‹, ›indem er nur eben von dem Bilde wegblickt‹, ›die Augen wieder auf das Bild gerichtet‹ geht die starke Faszination hervor, die von dem Bild der Emilia auf den Prinzen ausgeht. Es ist eine Anziehungskraft, die sich nicht nur in Blicken und Gesten ausdrückt, sondern auch in Worten und Reflexionen. Conti sagt über sein Modell Emilia: ›Ihre Seele, merk' ich, war ganz in Ihren Augen. Ich liebe solche Seelen und solche Augen‹, und der Prinz fragt: ›Wie darf unser einer seinen Augen trauen?‹, um dann später ebenfalls in die Begeisterung des Malers einzufallen: ›Dieses Auge voll Liebreiz und Bescheidenheit!‹ Dieses Lob Emilias steht in krassem Gegensatz zu der abfälligen Bemerkung über die ›starren, stieren Medusenaugen‹ der Gräfin Orsina. Der erotische Kontakt ist unterbrochen. Die Augen der Orsina erregen keine Begierden mehr, sondern nur noch Abscheu und Ängste vor der verschlingenden Kraft einer Sexualität, der der Zauber der Liebe fehlt.

Die Abwendung von der Orsina und die Hinwendung zur Emilia, die sich in der Szene als ein Bilderwechsel vollzieht, ist also nur konsequent, ja sie ist notwendig, wenn man die Augenmetaphorik in der Szene ernst nimmt. Der Maler Conti spielt bei diesem Bilderwechsel eine entscheidende Rolle. Als Maler, der die Phantasien des Prinzen in Bildern versinnlicht und verlebendigt, ja ihnen erst eine Realität verleiht, ist er Liebhaber und Kuppler zugleich. Wie ein Liebhaber zergliedert er Emilia in ihre einzelnen Teile und genießt noch einmal in Erinnerung: ›Dieser Kopf, dieses Antlitz, diese Stirn, diese Augen, diese Nase, dieser Mund, dieses Kinn, dieser Hals, diese Brust, dieser Wuchs, dieser ganze Bau‹.

Dennoch trennt er sich für Geld von der Kopie seines Bildes, das Original hat er bereits an Emilias Vater verkauft. ›Die Kunst geht nach Brot‹ sagt Conti auf die Frage des Prinzen, wie es ihm und seiner Kunst gehe. Als Künstler verleiht er den verborgenen erotischen Wünschen einen bildhaften Ausdruck, aber er hat keine Verfügungsgewalt über die Bilder, sie wechseln in den Besitz desjenigen, der das Geld hat. Der Handel zwischen dem Prinzen und Conti wirft ein Licht auf das Verhältnis zwischen Herrschaft und Kunst und die Rolle der Frau in diesem Verhältnis.

Im Bild der Frau sind die sogenannten ›wilden Wünsche‹, wie sie in *Kabale und Liebe*[38] genannt werden, die in der Sphäre von Macht und Herrschaft nicht wirklich befriedigt werden können, wie in einem Focus konzentriert. Das Bild der Frau ist Wunsch- und Erinnerungsbild eines anderen, besseren Lebens, es ist der gemeinsam geträumte Traum von Männern, die, ernüchtert vom gesellschaftlichen Alltag, einem Ideal nachjagen, das nur in ihren Köpfen existiert. Man beachte dabei die Rollenverteilung: Conti setzt den Traum ins Bild um, der Prinz versucht, sich mit seinem Geld über den Besitz des Bildes, nicht nur in den Besitz des Traumes, sondern auch in den Besitz des ›Originals‹ zu setzen. Ins Bild gebannt kann die Frau zum Tauschobjekt zwischen zwei Männern werden. Gegen Geld wechselt sie ihren Besitzer, aus dem Atelier des Malers gelangt sie in das Kabinett des Prinzen. Während der Prinz dem Maler das Porträt der Orsina wieder mitgibt, um es rahmen und in der Galerie aufstellen zu lassen, behält er das Porträt Emilias bei sich, um es ›bei der Hand‹ zu haben, um es in der Intimität seiner privaten Gemächer in Ruhe genießen und seine Begierden nach dem ›Original‹ durch die Betrachtung des Bildes weiter stimulieren[39] zu können.

Die Eingangsszene zwischen dem Prinzen und dem Maler Conti zeigt, wie sich zwischen und vor die realen Personen die Bilder schieben. Das Gespräch zwischen Conti und dem Prinzen dreht sich

38 Friedrich Schillers bürgerliches Trauerspiel *Kabale und Liebe*
39 anreizen, aufstacheln

um Bilder im konkreten und übertragenen Sinne. Es ist die Rede vom ›Original‹, von ›Kopie‹, von ›Ideal‹, ›Realität‹, von ›Kunst‹ und ›Natur‹. Die beiden Porträts der Orsina und der Emilia lösen unterschiedliche Phantasien aus: ›Medusa‹ und ›Engel‹ sind die Stichworte, die in diesem Zusammenhang fallen und damit zwei konträre[40] Vorstellungen von Weiblichkeit beschwören. Daß es hier um Projektionen geht, zeigt nicht zuletzt das Stück selbst, denn weder entspricht die Orsina dem Bild der Medusa, noch Emilia dem Bild des Engels, auf das sie vorweg von den Männern festgelegt wird.«

Inge Stephan: Frauenbild und Tugendbegriff im bürgerlichen Trauerspiel bei Lessing und Schiller. In: Lessing Yearbook 17 (1985) S. 2–4. – Mit Genehmigung von Inge Stephan, Aumühle.

Inge Stephan: Tugendbegriff (1985)

Q

»Die Aufklärung als eine Bewegung, die die ideologische Konstellation für den Aufstieg des Bürgertums im 18. Jahrhundert herstellen half, verwickelte sich mit ihren tendenziell klassen- und geschlechterübergreifenden Postulaten von Freiheit und Gleichheit in einen prekären[41] Widerspruch, der dann später in der Französischen Revolution blutig ausgetragen wurde. Spätestens am Ende des 18. Jahrhunderts zeigte es sich, daß z. B. die Gleichheitsforderung nicht für alle galt, nicht für die unteren Volksschichten und nicht für die Frauen. Diese waren in die Formel vom freien und mündigen Bürger nicht eingeschlossen. Die Durchsetzung neuer Produktionsformen, die Trennung von Produktion und Reproduktion, die Aufspaltung in private und öffentliche Sphäre und die Herausbildung der bürgerlichen Kleinfamilie als Ort privater Reproduktion[42] waren die revolutionierenden Neuerungen, die eine Neukonstitution[43] des patriarchalischen[44] Systems erforderlich machten. Die Macht des Vaters, die in den Triebrädern der stürmisch vorandrängenden gesellschaftlichen und ökonomischen Entwicklung zerrieben zu werden drohte, mußte neu begründet und legitimiert werden. Ökonomisch und gesellschaftlich gesehen

40 einander gegensätzliche
41 heftigen
42 hier: Gründung einer Familie mit Kindern
43 Neuaufbau
44 durch den Vater beherrschten

20 wurde der Bürger zusehends ein kleines Rädchen in einer großen Maschinerie, die er weder befehligte noch kontrollierte. Als Oberhaupt in der Familie erhielt er eine Entschädigung für die reale Einbuße an Bedeutung. Als Herrscher über Frau, Kinder und Gesinde konnte er sich mächtig fühlen.

25 Hier nun war eine Revision des Frauenbildes dringend erforderlich. Das Idealbild der selbständigen, selbstbewußten, dem Mann ebenbürtigen Frau, an dem Gottsched[45] und die Frühaufklärer gearbeitet hatten, war obsolet[46] geworden, es mußte durch ein anderes ersetzt werden. [...] Die Frau wird an den heimischen Herd ver-
30 wiesen, als Hausfrau und Mutter wird sie auf den engen Raum der Familie beschränkt, sie wird vollständig der Herrschaft des Mannes unterstellt und allein auf sein Glück und sein Wohlbefinden hin definiert. Zu ihr kehrt der Mann nach vollbrachter Tagesarbeit zurück, um sich zu entspannen und neue Kräfte für den Konkurrenz-
35 kampf zu sammeln. Auf sie und die Familie werden alle die Wünsche projiziert, die im bürgerlichen Erwerbsleben keine Erfüllung finden.

In diesem Zusammenhang wird auch die Tugend neu definiert. Während sie in der Frühaufklärung eine gesellschaftlich gefaßte Ei-
40 genschaft war, die für Männer und Frauen gleichermaßen gefordert wurde, wird sie nun zunehmend verengt zu einer moralischen Kategorie. Tugend wird immer stärker identisch gedacht mit weiblicher Unschuld. Im bürgerlichen Trauerspiel von Lessing bis Schiller läßt sich diese Verengung des ursprünglich umfassenden aufkläre-
45 rischen Tugendbegriffes von der weltgewandten, weltklugen Frau zur *virgo intacta*[47] sehr gut beobachten.

Die Frage, wer wen eigentlich verführt, wird in der *Emilia Galotti* wieder aufgenommen. Der Prinz ist Emilia verfallen, wie schon die Eingangsszene zeigt, wo er von ihrem Bild wie magisch angezogen
50 wird und von ihr als ›Zauberin‹ spricht, in deren Bann er sich fühlt. Auch Emilia ist ihm verfallen, wie der atemlose Bericht zeigt, den sie ihrer Mutter über das Zusammentreffen mit dem Prinzen in der Kirche gibt. Die Erinnerung an erlebte Lust und Abwehr vermischen sich in schwer unterscheidbarer Weise. Die größte Furcht hat Emilia

45 Johann Christoph Gottsched (1700–1766), deutscher Schriftsteller, Dramaturg und Literaturtheoretiker in der Frühzeit der Aufklärung

46 überflüssig

47 unversehrte Jungfrau

aber nicht vor dem Prinzen, sondern vor ihren eigenen Sinnen, vor ihrem eigenen Begehren: ›Ich habe Blut …; so jugendliches, so warmes Blut, als eine. Auch meine Sinne, sind Sinne. Ich stehe für nichts.‹ Der Verführung des Prinzen traut sie sich zu trotzen, auch wenn dieser zu Gewalt greifen sollte, aber den eigenen Sinnen droht sie zu erliegen. Die Verführung, die von ihrem eigenen Begehren ausgeht, ist für sie die ›wahre Gewalt‹, die ihre Unschuld bedroht.

Das Bild der ›verführten Unschuld‹ […] ist doppeldeutig. Es enthält so unterschiedliche Vorstellungen wie die vom Mann als Verführer und der Frau als Verführter wie umgekehrt die vom Mann als Verführtem und der Frau als Verführender. Der Diskurs über die Unschuld fördert ein Paradox zu Tage: Wo Licht ist, ist auch Schatten. Die Reinheit ist ohne ihr Gegenteil, die Wollust, nicht zu denken. Hinter der Tugend lauert jene Sinnlichkeit, die in dem Diskurs über die Unschuld gebannt werden soll. […]

Das Mißtrauen der Väter und Geliebten überträgt sich auf die Zuschauer und Leser und wird zu einem Spannungsmoment. Der voyeuristischen Spekulation[48] wird durch die szenische Aufbereitung des Autors Nahrung gegeben. […] Emilia ist, wenn auch nicht lange, ohne den Schutz von Vater und Mutter im Lustschlosse des Prinzen.

Das Mißtrauen der Väter überträgt sich aber auch auf die Töchter. […] Emilia, die fürchtet, daß sie ihre eigene Sinnlichkeit nicht mehr unter Kontrolle halten könnte, bittet den Vater, sie zu töten. […]

Der Tod triumphiert also auf der ganzen Linie. Die Reinheit gibt es nur um den Preis des Todes. […]

Neben die Gestalt des Geliebten tritt als zweite zentrale Gestalt die des Vaters. […] Odoardo ist kein zärtlicher und verzeihender Vater […], sondern er ist in erster Linie Tugendwächter und damit zugleich Herr über Leben und Tod der Tochter. Zumindest Emilia erkennt diese Verfügungsgewalt an, ja sie klagt sie sogar ein, wenn sie den Vater in der dramatischen Schlußszene an die Legende vom Tod der Virginia erinnert. ›Ehedem wohl gab es einen Vater, der seine Tochter von der Schande zu retten, ihr den ersten den besten Stahl in das Herz senkte – ihr zum zweiten das Leben gab. Aber alle solche Thaten sind von ehedem! Solcher Väter gibt es keinen mehr!‹ […]

Tatsächlich bemessen sich die Heiratschancen der Tochter danach,

48 Vermutung

ob sie noch *virgo intacta* ist oder nicht. Von daher hat der Vater natürlich ein existentielles Interesse daran, die Unschuld der Tochter
95 gegen Verführung abzuschirmen. Wie ein Kaufmann seine Ware, so bewacht der Vater die Tugend der Tochter. […]

Die Vater-Tochter-Beziehung ist die zentrale Achse […]. Dieser zentralen Beziehung zu Liebe werden die Mütter aufgeopfert bzw. abgewertet […]. Die Konzeption der Tochter als Eigentum des Va-
100 ters und als Ware in den Beziehungen zwischen Männern läßt sich m. E. nur verstehen als Ausdruck eines patriarchalischen Machtanspruchs, der im Rahmen des bürgerlichen Emanzipationskampfes neu formuliert und bekräftigt wurde. Die Herrschaft des Vaters in der Familie konstituierte[49] sich als Verfügungsgewalt über die ein-
105 zelnen Familienmitglieder. Die Ehefrau war diejenige, die durch die Ehe der Herrschaft des Mannes bereits unterstellt war, die Söhne waren die legitimen Nachfolger des Vaters und waren insofern seine natürlichen Verbündeten. Daß auch dieses Verhältnis nicht konfliktfrei war, zeigen Schillers *Räuber* und andere Dramen. […] Im bür-
110 gerlichen Trauerspiel geht es allein um die Beziehung zwischen Vätern und Töchtern. Die Töchter waren die einzigen, die nicht dauerhaft eingebunden waren in den Herrschaftsbereich des Vaters. Gerade ihre Sexualität, durch die sie für andere Männer außerhalb der Familie attraktiv wurden, war eine Bedrohung des väterlichen
115 Machtgefüges. Als Frau eines anderen Mannes und als zukünftige Mutter in einer neuen Familie wechselte die Tochter von einem Familienverband in einen anderen und entglitt damit erst einmal dem Herrschaftsanspruch ihres Vaters. Von daher ist es verständlich, daß die Väter versuchten, die Sexualität ihrer Töchter zu kontrollieren
120 und den Übergang auf den zukünftigen Schwiegersohn in ihrem eigenen Sinne zu regeln. […]

Die sozial- und gesellschaftspolitische Stoßrichtung des bürgerlichen Trauerspiels basiert auf dem ›Frauenopfer‹ im konkreten und übertragenen Sinne: Die Töchter sterben als Opfer im Konkurrenz-
125 kampf der Väter mit dem Liebhaber bzw. dem feudalen Verführer, und sie sterben ein zweites Mal als Opfer einer Reinheitsvorstellung, die die Voraussetzung für ihre Verfügbarkeit im Machtkampf der Männer ist. Bevor sie tatsächlich […] sterben, werden sie entlebendigt durch das Reinheitsgebot, das die Männer im Namen der

49 hier: zeigte

bürgerlichen Moral über sie verhängen. Die Bezeichnung ›Engel‹ […] ist hier verräterisch.

[…] Der Prinz von Guastalla projiziert in Emilia seine Wünsche nach einer neuen Erotik, die sich von der Mätressenwirtschaft am Hofe unterscheidet. Appiani hat ebenfalls ein erotisches Wunschbild von Emilia, das er jedoch dem Vater aufopfert. […] Die Wünsche der Liebhaber richten sich auf den Körper der Frau, dessen Schönheit ihnen die Erfüllung erotischen Begehrens zu verheißen scheint. Im Gegensatz dazu zielen die Wünsche der Väter darauf ab, den Körper der Tochter vor der erotischen Berührung durch andere Männer zu bewahren und die Sinnlichkeit von ihm fernzuhalten. Im Bild der ›verführten Unschuld‹ sind die sich widerstreitenden Wünsche der Männer in nuce[50] enthalten: die Erotik, die sich die Liebhaber erträumen und erobern wollen, und die Reinheit, die die Väter fordern und verteidigen. Im Wechselbad von Sexualisierung und Entsexualisierung wird die Frau zerrieben. […]

Der Schrecken, den die Tugendvorstellung erzeugt, treibt jene Nachtseiten der Aufklärung hervor, die erst in der historischen Rückschau deutlich werden. Es tritt jene Dialektik zutage, die Horkheimer und Adorno in anderem Zusammenhang als Wesen der Aufklärung beschrieben haben: Die Tugendvorstellung ist lebensnotwendig als ideologische Basis, auf der sich die Emanzipation des Bürgertums vollziehen konnte, und sie ist – konsequent angewendet – ein terroristisches Instrument, das Angst und Schrecken verbreitet und die Körper von ihren Sinnen trennt.«

Ebd. S. 6–10, 12–18 [Auszüge].

50 im Kern

7. Literaturhinweise

Dane, Gesa: Erläuterungen und Dokumente. Gotthold Ephraim Lessing: Emilia Galotti. Stuttgart: Reclam, 2002 [u. ö.].

Fick, Monika: Lessing Handbuch. Leben – Werk – Wirkung. 3., neu bearb. und erw. Aufl. Stuttgart: Metzler, 2010.

Kröger, Wolfgang: Literaturwissen Gotthold Ephraim Lessing. Stuttgart: Reclam, 1995 [u. ö.].

Pelster, Theodor: Lektüreschlüssel XL. Gotthold Ephraim Lessing: Emilia Galotti. Stuttgart: Reclam 2017 [u. ö.].

Steinmetz, Horst: Emilia Galotti. In: Interpretationen. Lessings Dramen. Stuttgart: Reclam, 1987 [u. ö.]. S. 87–137.

Stephan, Inge: Frauenbild und Tugendbegriff im bürgerlichen Trauerspiel bei Lessung und Schiller. In: Lessing Yearbook 17 (1985).

Sternburg, Wilhelm von: Gotthold Ephraim Lessing. Reinbek bei Hamburg: Rowohlt, 2010.

Stollberg-Rilinger, Barbara: Die Aufklärung. Europa im 18. Jahrhundert. Stuttgart: Reclam, ^{4}2017 [u. ö.].